# Luna

ÉLODIE TIREL

# LES ADORATEURS DU SCORPION

ÉDITIONS
MICHEL
QUINTIN

**Catalogage avant publication de Bibliothèque et Archives nationales du Québec et Bibliothèque et Archives Canada**

Tirel, Élodie

Luna

Sommaire: 7. Les adorateurs du scorpion.
Pour les jeunes.

ISBN 978-2-89436-507-7 (v. 7)

I. Titre. II. Titre: Les adorateurs du scorpion.

PZ23.T546Lu 2009 j843'.92 C2009-940443-5

*Illustration de la page couverture:* Boris Stoilov
*Illustration de la carte:* Élodie Tirel
*Infographie:* Marie-Ève Boisvert, Éd. Michel Quintin

Le Conseil des Arts du Canada
The Canada Council for the Arts

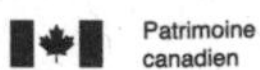


Canadian
Heritage

La publication de cet ouvrage a été réalisée grâce au soutien financier du Conseil des Arts du Canada et de la SODEC.

De plus, les Éditions Michel Quintin reconnaissent l'aide financière du gouvernement du Canada par l'entremise du Fonds du livre du Canada pour leurs activités d'édition.

Gouvernement du Québec – Programme de crédit d'impôt pour l'édition de livres – Gestion SODEC



ISBN 978-2-89435-507-7
Dépôt légal – Bibliothèque et Archives nationales du Québec, 2011
Dépôt légal – Bibliothèque et Archives Canada, 2011



Éditions Michel Quintin
C.P. 340, Waterloo (Québec)
Canada J0E 2N0
Tél.: 450 539-3774
Téléc.: 450 539-4905
editionsmichelquintin.ca

1 1 - G A - 1

Imprimé au Canada

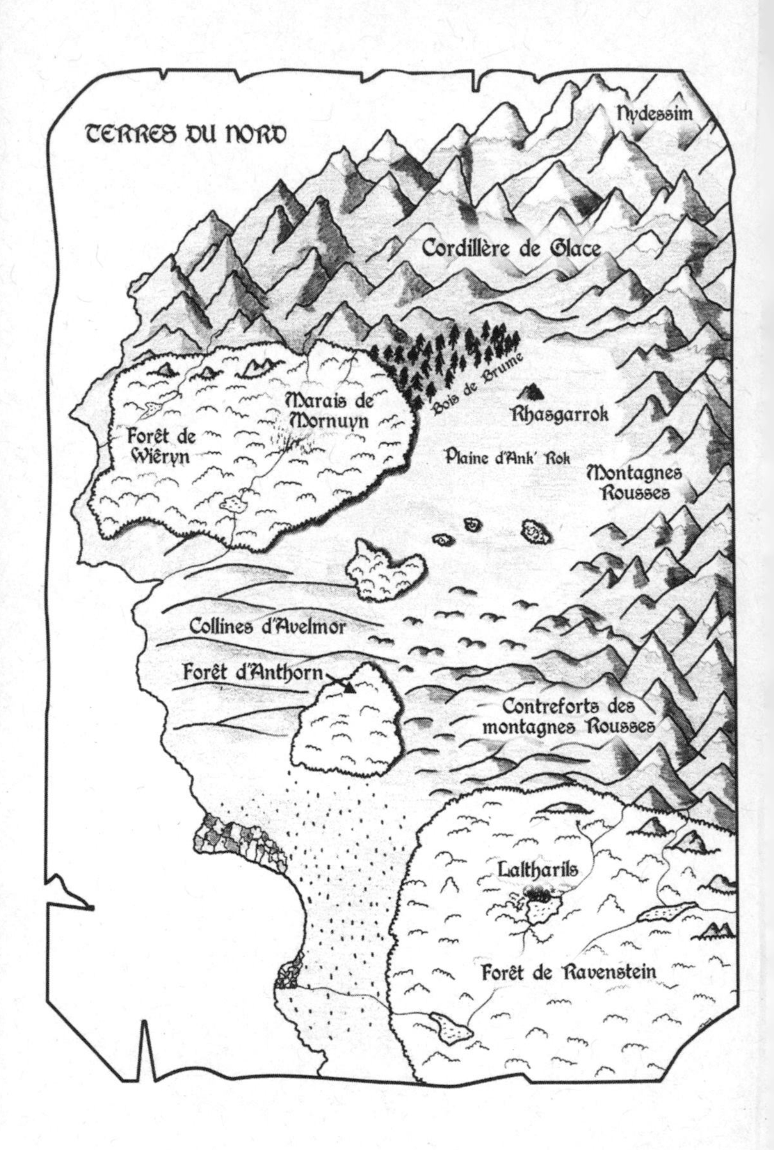
TERRES DU NORD
Nydessim
Cordillère de Glace
Bois de Brume
Marais de
Mornuyn
Forêt de
Wiêryn
Rhasgarrok
Plaine d'Ank' Rok
Montagnes
Rousses
Collines d'Avelmor
Forêt d'Anthorn
Contreforts des
montagnes Rousses
Laltharils
Forêt de Ravenstein

# PROLOGUE

Le lacis de ruelles devenait de plus en plus inextricable. Les maisons creusées dans la roche noire avaient disparu depuis longtemps au profit de cabanes de fortune peuplées par une faune inquiétante. Dans cette partie de Rhasgarrok, seuls s'aventuraient les drows les plus aguerris, les parias ou les suicidaires. Même les gardes de la grande prêtresse de Lloth évitaient d'y mettre les pieds. Là, la mort rôdait, encore plus omniprésente et implacable qu'ailleurs, fauchant les vies avec avidité et cruauté.

Pourtant Quaylen marchait d'un pas décidé. En s'enfonçant dans le faubourg, l'elfe noir ne donnait pas cher de sa vie. Mais, avec un peu de chance et plusieurs lames bien affûtées, il s'en sortirait. Peut-être…

S'il avait peur, le jeune homme n'en montrait rien. Déterminé, il se glissait comme une ombre entre les galeries obscures. Bien qu'il ne soit jamais descendu jusque-là, il semblait connaître le chemin par cœur. Les indications que lui avait fournies sa mère étaient tellement précises qu'aucun doute n'encombrait son esprit.

C'était en effet sa génitrice, l'intransigeante matrone de la maison Ro'Zven, qui l'avait envoyé dans ce coupe-gorge. Récemment, elle avait eu vent qu'il se déroulait là d'étranges réunions. Certains parlaient de messes noires en l'honneur d'un dieu oublié, d'autres de complots politiques. Quoi qu'il en fût, ces rumeurs avaient suffi à attiser la curiosité de dame Béryll. La mission de son fils cadet, Quaylen Ro'Zven, consistait à assister à l'une de ces réunions clandestines afin de découvrir ce que manigançaient vraiment les impies.

Alors que le jeune guerrier se répétait mentalement la phrase codée qui lui servirait de sésame, un chuintement derrière lui attira son attention. L'adrénaline inonda brusquement son cerveau. Vif comme l'éclair, il fit volte-face et plongea l'un de ses cimeterres dans le bas-ventre de son poursuivant, qui émit un râle plaintif avant de s'effondrer dans une gerbe de sang.

Pour survivre à Rhasgarrok, il fallait tuer avant d'être tué.

Sans un regard pour sa victime, Quaylen essuya sa lame ensanglantée sur la tunique sale du moribond et poursuivit sa route, imperturbable. Seule sa quête comptait. Il n'était plus bien loin, maintenant. Au prochain croisement, il prendrait le premier tunnel à droite et tomberait sur la masure qui abritait les réunions secrètes.

En pénétrant dans une caverne un peu plus vaste que les précédentes, le jeune homme eut le temps de distinguer trois ou quatre silhouettes trapues qui détalèrent à son approche, laissant une forme inerte au sol. Quaylen s'approcha, vaguement intrigué. À la vue du cadavre mutilé, il comprit. Il venait d'interrompre le festin d'urbams qui, étant parvenus à échapper à leur maître, avaient trouvé refuge là, l'endroit idéal pour s'adonner en toute impunité à leur passe-temps favori, la chasse à l'homme, et pour assouvir leurs instincts cannibales.

Le jeune drow n'éprouva aucune pitié pour la victime, mais il grimaça de dégoût à la pensée des urbams, cette race repoussante, fruit d'expériences contre-nature réalisées par des sorciers au plus profond de leurs laboratoires. Tout comme sa mère, Quaylen détestait ces créatures hybrides dont raffolaient pourtant les grandes maisons drows, ne voyant en eux que des serviteurs dociles et fidèles. Dans la famille Ro'Zven, on prônait la pureté de la race drow. Le sang des elfes noirs était d'origine divine et il n'y avait pire sacrilège que de le mélanger à celui de sous-espèces. Dame Béryll exécrait les sang-mêlé et allait même plus loin, rêvant d'une cité pure, nettoyée de toutes les scories qui la souillaient. Finis les nains, les gobelins, les barbares et autres trolls qui squattaient une ville qui n'était pas la leur ! Ces races inférieures n'avaient rien à faire là. Ces dernières décennies, Rhasgarrok était devenue un véritable dépotoir, qui accueillait sans distinction tous les déchets que comptaient les terres du Nord. Il était temps que cela cesse. Hélas ! matrone Sylnor, la nouvelle grande prêtresse que personne n'avait encore vue, ne semblait pas pressée d'agir dans ce sens.

C'était pour cette raison que dame Béryll avait envoyé son fils à cette mystérieuse réunion. Avec un peu de chance, les membres de cette secte extrémiste partageraient ses idéaux raciaux et auraient des idées concrètes pour rendre Rhasgarrok aux drows.

Une fois devant le lieu indiqué par sa mère, Quaylen observa avec scepticisme la misérable façade rongée par l'humidité et la moisissure. L'endroit, désert et silencieux, semblait complètement abandonné. Le jeune drow promena un œil soupçonneux autour de lui et s'approcha de la porte brinquebalante. Il vérifia si elle était verrouillée et frappa trois coups secs, comme convenu. L'huis s'ouvrit aussitôt.

— Qui va là ? fit une voix sourde derrière le grillage.

— *Que les ténèbres illuminent nos âmes, que l'obscurité éclaire nos vies, que la noirceur abreuve nos cœurs avides*, prononça Quaylen avec fébrilité.

Le bruit d'un loquet qu'on tire le soulagea. Il se retrouva bientôt face à un colosse tout en muscles dont le visage était dissimulé derrière un masque. Seules les deux billes d'acier qui lui servaient d'yeux étaient visibles.

— Tu es en retard ! gronda le gardien en lui tendant un morceau de tissu. La cérémonie a déjà commencé. Mets ça sur ta tête et glisse-toi sans bruit dans la pièce d'à côté.

Quaylen obtempéra, enfila le masque qui garantirait son anonymat et, le cœur battant, pénétra dans l'arrière-salle. Il étouffa un hoquet de stupeur en découvrant la foule massée là. Le drow s'était attendu à une réunion secrète regroupant quelques adeptes triés sur le volet. Or c'était des centaines de compatriotes masqués qui, dans un silence religieux, buvaient les paroles d'un drow debout sur une estrade, à l'autre bout de l'immense pièce. Un loup rouge dissimulait en partie ses traits, mais laissait apparaître sa longue chevelure rousse qui flamboyait à la lumière des torches. Sous sa tunique écarlate se devinait un corps musclé.

Intrigué par l'orateur, Quaylen s'approcha afin de mieux entendre ses propos.

— ... inacceptable ! Nous ne pouvons supporter ce joug plus longtemps. L'heure est venue de nous unir, de nous rebeller, de nous libérer de nos chaînes !

Des vivats sonores et enthousiastes enflammèrent l'assistance. L'homme était indéniablement charismatique et les spectateurs déjà acquis à sa cause.

— L'échec de Lloth n'est plus à prouver, poursuivit le drow, avec conviction. Depuis plusieurs générations, les matriarches que nomme la déesse araignée sont des incapables qui, lorsqu'elles ne s'amusent pas à torturer des prisonniers ou qu'elles ne se vautrent pas dans le sang de leurs victimes, ne trouvent rien de mieux à faire que de s'entretuer. C'est aussi pathétique que révoltant. Et pourtant ce sont ces femmes qui nous dirigent.

La foule approuva bruyamment.

— Regardez, Zesstra qui a assassiné sa mère pour prendre sa place a péri poignardée par sa propre fille, Zélathory. Mais cette grosse prétentieuse revancharde qui pensait sans doute faire mieux que sa génitrice a fini assassinée à son tour. Et que retiendrons-nous de son règne glorieux ? Un couvre-feu drastique qui a complètement ruiné l'économie de notre ville. Formidable, non ?

Cette fois, l'assemblée se mit à siffler l'ancienne matriarche.

— Et que fait Lloth pour sauver notre race et restaurer la grandeur de Rhasgarrok ? Je vous le demande. Eh bien ! je peux vous dire que la déesse ne doit pas nous porter grand intérêt, car figurez-vous qu'elle vient de nommer... une gamine à la tête de son monastère !

Quaylen poussa un cri d'étonnement, comme tout le monde autour de lui. Déroutés par cette révélation inouïe, les drows présents dans la salle retinrent leur souffle.

Très fier de son effet de surprise, l'orateur laissa l'information s'imposer dans les esprits, puis il se rapprocha de la foule, comme pour formuler une confidence.

— Personne ne le sait encore, mais moi j'ai appris de source sûre que notre nouvelle grande prêtresse est effectivement une enfant de douze ans et demi. Rendez-vous compte ! Quelle mascarade, quelle supercherie ! À croire que Lloth nous prend vraiment pour des demeurés. Mais cela explique pourquoi notre grande prêtresse n'est encore jamais apparue en public.

L'homme à la crinière rousse fit une courte pause avant de reprendre, plus virulent encore :

— En fait, Lloth se moque de nous. Pour elle, nous ne sommes que des pions manipulables à loisir, des instruments au service de la seule et unique chose qui la motive, la vengeance. De qui cherche-t-elle à se venger ? Mais des elfes de la surface, bien sûr ! Et, comme toutes les matriarches qui se sont succédé sur le trône de Lloth, matrone Sylnor cherchera elle aussi à exterminer les autres races d'elfes. Non pas à cause de notre histoire, mais bien à cause de la sienne...

Un silence pesant planait dans la salle.

— Eh oui ! Lloth n'a pas choisi cette gamine au hasard. Car, ce que vous ignorez encore, c'est que matrone Sylnor est en réalité une sang-mêlé ! Moitié elfe noire, moitié elfe de lune ! Et cette adorable fillette ne rêve que d'une chose, anéantir la famille qui l'a reniée ! Quelle aubaine pour la déesse araignée ! N'est-ce pas ?

L'assemblée resta bouche bée, atterrée par la révélation de ce nouveau secret.

— Mais sa vengeance n'est pas la nôtre ! s'écria soudain le drow au loup. Après tout, qu'importent les elfes de la surface tant qu'ils nous fichent la paix ! Laissons les rancœurs séculaires derrière nous et tournons-nous enfin vers l'avenir. Car l'avenir nous appartient, à nous, peuple drow, à condition que nous cessions de nous entretuer et d'offrir nos enfants en pâture à un clergé sanguinaire. Qui n'a pas perdu un fils ou un frère, sacrifié sur l'autel de Lloth ? Qui n'a pas maudit en secret la déesse en voyant partir sa fille ou sa sœur, destinée à devenir une clerc impitoyable ?

Nombreux furent les spectateurs à hocher la tête. Quaylen revit le visage baigné de larmes de sa cadette le jour où les sbires de matrone Zesstra étaient venus pour l'emmener de force au monastère.

— Il est temps que les drows s'unissent et agissent ! rugit l'orateur en levant les mains. L'heure du grand nettoyage est venue. Notre priorité sera de réunifier notre peuple et de rendre Rhasgarrok aux drows, aux drows de pure souche, en expulsant tous ceux qui ne sont pas de notre race. À commencer par cette Sylnor !

Une nouvelle explosion d'enthousiasme retentit dans la salle.

Sous son masque, Quaylen souriait. Sa mère ne s'était pas trompée… Ces gens partageaient leurs idéaux. L'heure était sans doute venue pour la maison Ro'Zven de sortir enfin de l'ombre et de prendre sa revanche.

L'orateur souriait également. Intérieurement, il jubilait et savourait l'exaltation de la foule. Il savait son discours au point. Il l'avait longuement préparé, choisissant chaque mot avec circonspection afin d'emporter l'adhésion de son auditoire. Son objectif semblait largement atteint. Pourtant, il lui restait encore un dernier détail à aborder.

Il prit une grande inspiration avant de se lancer.

— C'est pour toutes ces raisons que le temps est venu de renier Lloth.

D'un coup, les drows présents se raidirent. Critiquer la déesse était déjà audacieux, mais la renier semblait totalement inconcevable.

— La déesse araignée, aveuglée par ses rêves de vengeance, est en train de nous conduire à notre perte. Siècle après siècle, elle nous a insufflé sa haine et sa rage destructrice, nous poussant à nous méfier les uns des autres, à nous espionner, à nous haïr et à nous entretuer. À cause d'elle, le peuple drow est tombé tellement bas qu'aujourd'hui nous devons lutter pour notre survie au sein de notre propre ville !

— Comment lutter contre une déesse ? cria une voix dans la foule.

— Ses pouvoirs sont immenses ! renchérit quelqu'un d'autre.

— Toutes les tentatives de révolte se sont toujours soldées par des bains de sang, osa un troisième. Pourquoi réussirions-nous aujourd'hui là où ont échoué nos aïeux ?

— Lloth est puissante, je vous l'accorde, reprit le tribun, mais cette fois nous ne sommes pas seuls, mes amis. Afin de lutter à armes égales contre cette divinité démoniaque, j'ai pris la liberté d'appeler un autre dieu à notre rescousse. Un dieu ancestral oublié, mais fidèle à notre cause. Avec son aide, nous écraserons l'araignée qui nous tue à petit feu.

D'un geste théâtral, le drow tira sur un cordon de soie et le rideau derrière lui s'ouvrit, dévoilant un immense scorpion de marbre noir.

— À présent, inclinez-vous devant le tout-puissant Naak, dieu de la guerre !

Impressionnée, la foule se prosterna sans tarder. Quaylen tomba à genoux, frappé d'extase, subjugué par la prestance de ce dieu plein de promesses et d'espoir.

— Maintenant, chacun d'entre vous va subir la piqûre de Naak, déclara l'orateur avec emphase. Seuls ceux qui ont le sang parfaitement pur survivront à son venin. Vous serez alors marqué du sceau du nouveau dieu et, tels des prophètes, vous vous répandrez dans la ville pour annoncer l'imposture de Sylnor, la trahison de Lloth et l'avènement du dieu scorpion. Quant aux autres, ceux dont le sang les aura trahis, ils mourront dans d'atroces souffrances !

Les portes se refermèrent brusquement derrière Quaylen, provoquant un mouvement de panique parmi la foule.

— Que la cérémonie commence, lança le drow aux cheveux de feu, pendant que des serviteurs masqués invitaient les spectateurs terrifiés à monter sur l'estrade pour subir l'épreuve qui changerait à jamais le cours de leur vie.

# 1

Le brasero était éteint depuis longtemps et l'air de la chambre était glacial. Cela n'empêcha pas Luna de repousser vivement l'édredon pour bondir hors du lit dès les premières lueurs de l'aube.

— Tu es bigrement matinale, toi ! grommela Elbion qui aurait bien dormi quelques heures de plus.

— Oh, je t'ai réveillé ! Désolée, murmura Luna en saisissant une pomme dans la corbeille à fruits. Mais j'ai tellement hâte, tu comprends ! Aujourd'hui c'est…

— Je sais, je sais, la coupa le loup en baillant à s'en décrocher la mâchoire. Cela fait cinq jours que tu me rabâches ça sans arrêt. Mais il est bien trop tôt. La cérémonie n'aura lieu qu'en fin de matinée.

— Eh ! il faut que je me fasse belle ! Et je n'ai pas tout à fait terminé le présent que je vais offrir à Assyléa. Je n'ai pas une minute à perdre.

Elbion ne put s'empêcher de ricaner.

— Quoi encore ? rétorqua l'adolescente en mordant dans le fruit.

— Si tu n'avais pas passé toutes tes journées en compagnie de Kendhal, tu aurais largement eu le temps de finir le cadeau de mariage de ton amie.

Luna se planta devant son frère, estomaquée.

— Dis donc, tu exagères ! Je n'étais pas toujours avec Kendhal comme tu l'insinues. J'étais souvent en compagnie des futurs mariés et d'Ambrethil. Figure-toi que nous avions beaucoup de choses à nous dire, toutes les deux.

— Oui, mais n'empêche que Kendhal et toi…

— Serais-tu jaloux, cornedrouille ? s'exclama Luna en feignant d'être offusquée.

— Absolument pas ! Tu fais ce qui te chante, après tout. C'était juste une remarque en passant.

— Oui, eh bien, sache que les heures passées avec Kendhal ont été fort instructives ! Il m'a fait visiter le chantier de sa ville. D'après lui,

Hysparion pourra être inaugurée dans deux mois. Un peu avant mon anniversaire. Et nous sommes allés à Verciel pour rendre une petite visite à Thyl. Ça a été l'occasion de revoir Cyrielle, sa cousine. C'est une jeune fille très agréable. Tu savais qu'elle siégeait maintenant au Conseil de l'Union elfique ?

— Oh, tu sais, moi et la politique…

— Ensuite, nous avons eu la visite d'Edryss que j'apprécie beaucoup. La pauvre est tellement malheureuse du départ de Sarkor ! C'est bizarre, quand même, que mon oncle soit parti ainsi sans dire au revoir à personne, tu ne trouves pas ? J'ai interrogé ma mère, mais elle refuse de me dire quoi que ce soit. Moi, je me demande si Sarkor n'était pas secrètement amoureux d'Edryss et qu'il…

— Tiens, à propos de sentiments, tu ne trouves pas que Kendhal…

— Oh ! arrête un peu de tout ramener à lui, veux-tu ! le coupa Luna en fronçant les sourcils. Ce n'est pas parce que tu nous as vus échanger un baiser lorsque nous étions à Aman'Thyr que tu vas me rebattre les oreilles avec ça sans arrêt. Nous sommes juste amis ! Ça te va ? Depuis mon retour, il n'a pas cherché à m'embrasser une seule fois. Tu vois, pour lui non plus cela ne voulait rien dire.

— Tu sembles déçue.

— Elbion, ça suffit ! enragea Luna en jetant son oreiller à la tête de son frère pour le faire taire.

Le loup bondit juste à temps pour esquiver le projectile et, bien décidé à pousser sa sœur à bout, il se mit à chantonner :

— Luna est amoureu-se, Luna est amoureu-se !

Excédée, la jeune fille balança sa pomme en direction du loup et s'enfuit dans le couloir en claquant la porte derrière elle. Lorsqu'elle pénétra dans la salle de bain, son irritation n'était pas retombée. Elle ouvrit les vannes du bassin d'un geste rageur et s'assit sur le rebord en attendant qu'il se remplisse d'eau chaude.

Et dire qu'elle était de si bonne humeur en se réveillant ! Pourquoi Elbion avait-il sans cesse besoin de la seriner avec cette histoire de bisou ? Ce n'était arrivé qu'une fois ; ce n'était pas la peine d'en faire tout un foin ! À moins, bien sûr, que son frère soit vraiment jaloux. Pas au niveau des sentiments, mais plutôt du temps qu'elle avait passé avec Kendhal depuis son retour à Laltharils.

C'était vrai qu'elle avait un peu délaissé Elbion au profit du jeune elfe doré, mais elle était tellement heureuse de revoir son meilleur ami ! Elle avait tant à lui dire ! Après avoir longtemps tergiversé, elle n'avait finalement pas pu résister à l'envie de lui confier ses mésaventures avec les vampires, depuis le sauvetage du jeune Ewen jusqu'à l'attaque de Sohan dans le manoir de sire Lucanor. Kendhal avait blêmi en apprenant que Luna avait failli devenir à son tour une buveuse de sang. Heureusement que la morsure du lycaride avait correctement joué son rôle d'antidote. Luna avait enchaîné avec son périple dans la vallée d'Ylhoë et relaté comment Elbion s'était fait enlever et avait échappé de justesse au bûcher. Puis elle lui avait expliqué comment elle avait bravé le terrifiant maître des loups au cœur de la forteresse de Naak'Mur.

Kendhal était resté ébahi par tous ces exploits, même si les fleurs de sang qui avaient justifié ce voyage n'avaient en fin de compte servi à rien. Finalement, Luna lui avait révélé son ultime secret: les visites nocturnes de l'esprit d'Hérildur, désormais lié à celui de Ravenstein. Le jeune roi s'en été trouvé grandement soulagé, lui qui avait tant craint que son amie, trop affectée par la mort de son grand-père, soit inconsolable.

En entrant dans le bassin d'eau parfumée, Luna songeait justement à son aïeul. Ce serait tellement formidable si lors du mariage de Darkhan et d'Assyléa, il pouvait trouver le moyen de se manifester et de donner sa bénédiction au jeune couple !

L'adolescente ferma les yeux et laissa la caresse de l'eau la relaxer. Elle se sentait mieux à présent, plus détendue. Il était tellement important pour elle que rien ne vienne gâcher cette journée exceptionnelle ! En fait, ces noces revêtaient un caractère très particulier pour Luna. D'abord, parce que c'était les premières auxquelles elle assistait. Ensuite parce qu'elle adorait les futurs mariés. Son cousin préféré et sa meilleure amie formaient un couple tellement uni et bien assorti qu'il était évident qu'ils étaient faits l'un pour l'autre.

Luna laissa son esprit vagabonder et se demanda si Thyl allait finir par se marier un jour ou l'autre. Il avait plus de vingt ans et beaucoup de jeunes et jolies avarielles lui tournaient autour. Malgré tout, il était encore célibataire et ne semblait pas pressé de nommer une impératrice. Bien que Kendhal charriât régulièrement Luna, arguant que Thyl avait le béguin pour elle et qu'il attendait qu'elle grandisse, l'adolescente n'y croyait guère. Certes l'avariel était très séduisant, mais tellement plus vieux qu'elle, six ans d'écart pour être précis, alors que Kendhal n'avait que deux ans de plus qu'elle.

Kendhal… Avec ses longs cheveux blonds, son teint hâlé qui mettait en valeur le soleil doré tatoué sur sa joue, sa taille haute et ses épaules larges, ses yeux pétillants et son sourire taquin… Même si Luna refusait de l'avouer à Elbion, son cœur battait encore très fort pour lui.

Pourtant quelque chose avait changé entre eux.

Si, lors de leurs retrouvailles dans la cabane du Marécageux, Kendhal lui avait fait plein de compliments et lui avait même offert une jolie couronne de jonquilles tressées, il se montrait depuis beaucoup plus réservé. Certes il était toujours ravi de passer un moment à bavarder avec elle, mais jamais plus il ne la taquinait comme il l'avait fait sur la terrasse enneigée du donjon, dans la forteresse des elfes de soleil. Et, bien loin de chercher à l'embrasser, jamais Kendhal n'avait plus eu le moindre geste affectueux envers elle. C'était comme si leur complicité passée s'était muée en amicale indifférence.

Plusieurs questions rongeaient Luna en secret. Kendhal éprouvait-il encore quelque chose pour elle ? Lui en voulait-il toujours d'avoir refusé qu'il l'accompagne lorsqu'elle était partie chercher la fleur de sang ? Ou bien, maintenant qu'il était roi, s'était-il rendu compte que cette amourette était sans issue et qu'il était plus raisonnable de considérer Luna comme une simple amie ?

Voilà pourquoi la jeune fille ne supportait plus les allusions incessantes de son frère. Si les remarques d'Elbion n'étaient pas bien méchantes, elles avaient le don de rouvrir une plaie à vif.

Sentant l'irritation la gagner à nouveau, Luna sortit du bassin et s'enveloppa dans un grand drap de soie mordorée avec lequel elle se frotta vigoureusement. Elle entreprit ensuite de démêler sa lourde chevelure. Après plusieurs passages de brosse et de peigne, ses cheveux redevinrent plus doux que la soie. Elle hésita entre les laisser libres ou céder à la mode elfique en optant pour un chignon réalisé à base de tresses savamment reliées les unes aux autres. Mais le souvenir de la douloureuse séance que dame Lytarell lui avait infligée lors de son arrivée à Laltharils la fit immédiatement opter pour une coiffure plus naturelle. Elle natta deux fines mèches qu'elle noua dans son dos avec une pince en argent, laissant le reste de sa chevelure sans attaches.

Une fois coiffée, elle se rinça la bouche avec de l'eau mentholée et se regarda dans le miroir. Sa longue convalescence dans le manoir de sire Lucanor l'avait indubitablement amaigrie.

Ses jolies joues rebondies avaient fondu, accentuant l'ovale de son visage. Ses yeux, soulignés de légers cernes, avaient perdu leur innocence au profit d'une profondeur nouvelle. Ambrethil la trouvait mûrie, mais Luna se préférait avant.

Elle grimaça devant son reflet et se dit que, pour une fois, une petite touche de maquillage ne serait pas superflue. Après avoir fait son choix parmi les pots et poudriers qui trônaient sur une étagère, elle déposa un peu de fard gris sur ses yeux et un soupçon de rose sur ses joues pour rehausser son teint pâle. Elle compléta le tout par une fine couche d'huile de rose sur ses lèvres.

Toujours enveloppée dans son drap de soie, elle retourna dans sa chambre, bien décidée à tancer Elbion s'il l'asticotait à nouveau. Mais, à son grand soulagement, le loup avait quitté le lit douillet. Sans doute avait-il cédé à la tentation d'une escapade matinale. Tant mieux ! Elle n'aurait plus à supporter ses sarcasmes.

Après avoir ajouté un peu de bois dans le brasero, Luna se dirigea vers son armoire et en sortit avec d'infinies précautions la magnifique robe qu'elle porterait pour les noces. Tout en camaïeu de bleus, plusieurs voiles d'organdi se superposaient pour créer un effet vaporeux des plus réussis. Les manches longues brodées d'aigues-marines contrastaient avec le décolleté rehaussé de lapis-lazuli. Elle l'admira et l'enfila sans attendre. Puis elle déposa l'étole assortie sur ses épaules et vérifia son reflet dans la glace. À présent, elle se trouvait plutôt jolie.

« Plairai-je également à Kendhal ? songea-t-elle avant de se morigéner aussitôt. De toute façon peu importe. Nous sommes simplement amis, et c'est bien mieux comme ça ! »

Luna referma la porte de sa chambre et passa dans le salon. Le soleil brillait sur la surface scintillante du lac. La journée serait belle. C'était de bon augure. Un vieux proverbe elfique ne disait-il pas que « mariage ensoleillé dure l'éternité » ? Toutefois, pas question d'aller profiter des premiers rayons printaniers. Luna devait absolument finir le collier d'ambre à quatre rangs torsadés qu'elle avait commencé à confectionner pour Assyléa. Heureusement que le cadeau de Darkhan était prêt depuis longtemps. Elle avait prévu de lui offrir un magnifique poignard serti d'émeraudes ayant appartenu à Hérildur. C'était une idée d'Ambrethil et nul doute qu'elle réjouirait son cousin.

Luna était tellement absorbée par son travail manuel qu'elle n'entendit pas la cloche qui appelait les quatre communautés elfiques à se réunir dans la salle d'apparat du palais. Ce fut Elbion qui, en faisant irruption dans le salon, la rappela à l'ordre.

— Eh bien ! pas encore prête ?

La jeune fille se raidit, s'attendant à une remarque ironique sur l'effet que sa tenue vestimentaire produirait sur Kendhal. Mais Elbion ne semblait plus vouloir la faire enrager.

— Tu es vraiment très belle ! déclara-t-il en se plantant devant elle.

— Merci, fit-elle, touchée. Je n'ai plus qu'à mettre le présent d'Assyléa dans son écrin et nous pourrons y aller. Tu m'accompagnes, n'est-ce pas ?

— Bien sûr ! Et, comme tu peux le constater, je me suis également fait une petite beauté. Un plongeon dans le lac n'a pas son pareil pour rehausser l'éclat naturel de ma couleur. Quant à la brise vivifiante, elle a redonné volume et souplesse à ma fourrure. Je me sens d'une élégance rare.

Luna le regarda, interloquée, avant d'éclater de rire.

— Tu es splendide, en effet. J'ai devant moi le prince des loups, sans conteste.

— C'est ça, moquez-vous, princesse ! Mais prenez garde d'oublier votre couronne !

— Oups, merci ! Un peu plus et j'allais effectivement l'oublier.

Luna s'élança sans attendre en direction de sa chambre pour s'emparer de la fine couronne d'argent qui avait autrefois appartenu à sa mère.

— Et n'oublie pas non plus tes chaussures, cette fois ! lui cria Elbion.

# 2

Dans l'immense salle d'apparat du palais de Laltharils, des milliers d'elfes étaient en train de se rassembler pour célébrer l'union de Darkhan et d'Assyléa. C'était un grand moment pour les quatre communautés. Le couple symbolisait la victoire de l'amour sur la haine et, dans une plus large mesure, de la vie sur la mort. Tous venaient de perdre récemment des êtres chers dans des circonstances tragiques, mais en ce jour l'idée de former un peuple uni, soudé autour des mêmes valeurs, leur redonnait la force et le courage de continuer à avancer.

La salle de forme ovale, avec ses grandes baies vitrées sur les côtés et son plafond aux voûtes de bois sculpté, était grandiose. L'agencement de la pièce avait été réorganisé pour l'occasion en trois zones distinctes. Sur le côté nord, une estrade où avaient été installés quatre trônes dominait une large scène en demi-lune, le reste de l'espace étant réservé aux bancs pour les très nombreux invités.

En remontant l'allée transversale en compagnie d'Elbion pour se rendre à sa place, Luna adressa de nombreux sourires et petits signes de la main à tous ceux qu'elle connaissait et elle s'aperçut avec plaisir que les elfes de toutes les races s'installaient au fur et à mesure de leur arrivée en occupant les sièges à partir de l'avant et en se mélangeant de façon spontanée. Elfes ailés, argentés, noirs et dorés discutaient les uns avec les autres dans une joyeuse cacophonie.

En tant que princesse royale, Luna bénéficiait d'un fauteuil réservé au premier rang, juste en face des quatre trônes. Avant de s'installer, elle salua Bromyr, son voisin de droite. Le fidèle général de Kendhal lui rendit aussitôt son salut avec déférence. Puis elle embrassa ses voisines de gauche, Cyrielle, son amie, et Haydel, la petite sœur de Thyl.

Elbion, quant à lui, se coucha discrètement aux pieds de Luna. Ce genre de cérémonie n'était pas ce qu'il affectionnait le plus, mais il éprouvait une tendresse particulière pour

Darkhan et Assyléa et il mettait un point d'honneur à être présent.

— Que vous êtes belles toutes les deux, souffla Luna à l'adresse des avarielles en s'asseyant. Vos robes sont exactement de la même teinte que vos plumes.

— Je te retourne le compliment, fit Cyrielle. Le bleu de ta robe rend celui de tes yeux encore plus intense. Et je remarque que tu as fait l'effort de te maquiller. Ça te va bien. Tu devrais le faire plus souvent.

— Oh oui, alors ! approuva la petite fille. T'es encore plus jolie que d'habitude.

Gênée par ces compliments, Luna tourna le regard vers les somptueux trônes de velours de différentes couleurs qui lui faisaient face, se demandant quand les souverains des quatre communautés allaient faire leur entrée. Elle remarqua les objets qui flottaient comme par magie au-dessus de chacun des trônes et sursauta en reconnaissant le parchemin d'or des avariels. Elle se tourna aussitôt vers Cyrielle pour lui demander :

— Pourquoi votre talisman est-il exposé ainsi ?

— Il n'y a pas que le nôtre ! Regarde, chaque peuple a accepté d'exposer son artefact sacré pour l'occasion. C'est Edryss qui en a eu l'idée. Elle trouvait que c'était une façon originale de rendre hommage à Hérildur qui rêvait de nous voir tous unis. C'est vrai que c'est un beau symbole, non ?

— En effet, approuva Luna, pensive. Tu vas sans doute me trouver idiote, mais j'ignorais que nous avions également un artefact sacré…

Le général Bromyr, qui n'avait pu s'empêcher d'écouter ses voisines, se pencha vers elles :

— Notre emblème, c'est le bouclier d'or que vous voyez à droite. La légende dit qu'il appartenait au fondateur d'Aman'Thyr. Nous l'avons toujours gardé précieusement, un peu comme un porte-bonheur, même si ces derniers temps, il semble avoir perdu ses facultés.

Luna et Cyrielle hochèrent la tête de concert.

— Il ne fait aucun doute que la statuette d'albâtre appartient aux elfes noirs, devina Luna après un moment. Elle représente Eilistraée, la déesse protectrice des bons drows.

Bromyr ne répondit rien, mais sa moue réprobatrice n'échappa pas à Luna. Elle s'apprêtait à l'interroger sur le sens de cette grimace quand Haydel, qui n'avait rien perdu de la conversation des grands, s'exclama :

— Oh ! le vieux bout de bois tout moche, c'est votre talisman, alors ? Ça représente quoi ?

Luna haussa les épaules en rougissant, légèrement honteuse. C'était vrai que leur objet symbolique faisait pâle figure comparé aux trois autres.

Un tonnerre de trompettes retentit soudain, mettant un terme à toutes les discussions. Dans le silence parfait s'éleva une musique aérienne qui marqua l'arrivée des quatre monarques.

Thyl, Ambrethil, Edryss et Kendhal s'avancèrent sur l'estrade et prirent place sur leur trône respectif. Tous rayonnaient de beauté dans leurs vêtements d'apparat. Les souverains arboraient une mine réjouie et leurs sourires sincères étaient autant de preuves que le rêve d'Hérildur de créer une cité cosmopolite était devenu une réalité tangible.

En voyant Kendhal si majestueux dans sa tenue d'or et d'émeraude, Luna sentit son cœur s'envoler. Elle le fixa avec intensité, attendant qu'il la remarque, mais, comme il regardait dans une autre direction, elle tourna finalement son regard vers Edryss et lui sourit. La prêtresse drow inclina aussitôt la tête pour la saluer. Le regard de Luna se posa ensuite sur Ambrethil, resplendissante malgré les souffrances endurées dernièrement. Sa mère lui adressa en retour un petit signe discret de la main. Enfin Luna admira Thyl, beau à faire tourner les têtes dans son pourpoint noir et argent, mais elle rougit vivement lorsqu'il lui lança une œillade complice.

— Tu as tapé dans l'œil de mon cousin, on dirait, chuchota Cyrielle à son oreille.

— Pas du tout ! se défendit Luna. C'est à Haydel que Thyl adressait ce…

Le son puissant des tambours l'empêcha de finir sa phrase. La cérémonie commençait.

Plein de noblesse dans son armure étincelante, Darkhan s'avança le premier sur la scène, escorté par une vingtaine de soldats elfes de soleil et de lune. Dans une parfaite synchronisation, les guerriers se dispersèrent pour mimer une scène de combat. Darkhan sortit ses sabres et les fit danser au-dessus de sa tête avec toute la grâce et l'agilité qui le caractérisait. Plusieurs fois il frôla ses compagnons qui esquivèrent par miracle chacun de ses coups avec une souplesse étonnante. La chorégraphie martiale, saisissante de réalisme, était réglée au millimètre près.

Luna ne put s'empêcher de songer que Sarkor aurait adoré y assister. Elle savait par sa mère que son oncle avait définitivement quitté Laltharils, mais elle était très loin de s'imaginer quels drames étaient à l'origine de son exil. Seuls Ambrethil et Darkhan connaissaient toute la vérité.

Lorsque le simulacre de combat prit fin, les tambours se turent et les guerriers s'éclipsèrent, laissant Darkhan seul au centre de la scène, un genou à terre.

Comme par enchantement, Assyléa apparut alors dans les airs, portée par un cortège d'avarielles aux plumes chatoyantes, pendant que s'élevait un chœur de voix féminines. Magnifiquement parée d'un fourreau orangé qui tranchait avec sa peau sombre, la jeune drow ressemblait à une déesse exotique.

L'assistance médusée par l'onirique apparition regarda les elfes ailées déposer la future mariée devant son fiancé. Assyléa, rayonnante de bonheur, tendit la main à Darkhan qui la serra contre son cœur avant de se relever. L'instant était empreint d'une telle émotion que chacun retenait son souffle.

Luna en profita pour adresser un sourire à Kendhal, assis presque en face d'elle, mais le jeune homme, totalement absorbé par la scène, ne semblait pas la voir. Elle soupira de dépit.

Ambrethil se leva pour accueillir les futurs époux. Son discours, contrairement à ceux qu'avait coutume de prononcer son père, fut extrêmement concis. Pourtant, elle démontra avec brio que, pour toucher Darkhan et Assyléa, elle n'avait besoin ni de longues phrases poétiques ni de propos alambiqués au point d'en perdre tout leur sens. Ses mots simples et sincères atteignirent leur but.

Puis ce fut au tour de Kendhal et de Thyl de s'exprimer. Tous deux dressèrent un portrait flatteur de ce couple exemplaire et insistèrent sur les exploits qu'ils avaient accomplis au cours de leurs différentes missions. Enfin Edryss, en tant que grande prêtresse d'Eilistraée, leur donna sa bénédiction et prononça les formules ancestrales, consacrant leur union pour l'éternité.

Darkhan souleva délicatement Assyléa dans ses bras et la foule se leva d'un même élan pour les acclamer.

Ce fut à cet instant que le ciel s'obscurcit brutalement, noyant la salle de ténèbres et paralysant d'effroi tous les elfes présents. Aussitôt quatre rais de lumière illuminèrent les quatre emblèmes sacrés, pendant qu'une fine pluie de gouttelettes lumineuses tombait en scintillant sur les jeunes mariés.

Croyant à une nouvelle mise en scène, la foule en liesse applaudit à tout rompre. Mais les mariés n'entendirent pas le vacarme que faisait l'assistance. Une voix profonde venait d'envahir leur tête. Une voix qu'ils reconnurent immédiatement et qui les inonda de chaleur.

Luna souriait, car elle avait compris l'origine de ce prodige. Elle ne saurait jamais ce que l'esprit d'Hérildur avait dit aux jeunes époux, mais elle avait senti sa présence jusqu'au fond de son âme. Lorsque le soleil réapparut, le bonheur qui transfigurait les traits des époux témoignait de l'intensité de ce moment.

La confusion qui suivit fut totale. Chacun voulant être parmi les premiers à féliciter les mariés, les invités se mirent à envahir la scène dans un joyeux désordre. Luna tenta d'échapper au flot en grimpant sur l'estrade avec Elbion. Elle espérait ainsi pouvoir enfin approcher Kendhal. Mais un rapide coup d'œil lui suffit pour constater que son ami n'était déjà plus là. Son cœur se serra de frustration. Cherchait-il à l'éviter ?

Comme Ambrethil était en grande conversation avec Edryss, Luna, qui ne voulait pas les déranger, se dirigea vers Thyl qui l'accueillit à bras ouverts.

— Princesse, comme vous êtes ravissante ! Fascinante ! Que dis-je, éblouissante !

— Par pitié, arrête ! pouffa Luna. Tu t'exprimes comme Abzagal.

— Qu'y a-t-il de mal à cela ? En tant qu'empereur des avariels, il est tout à fait normal que j'adopte la façon de parler de mon dieu, non ? Au fait, sais-tu où est passée Cyrielle ?

— Elle était là il y a deux minutes. Elle a dû emmener Haydel loin de toute cette agitation.

— Dis plutôt qu'elle est en train de faire les yeux doux à un galant quelconque, oui!

— Oh, Thyl! pouffa Luna, ce n'est pas gentil de dire ça. C'est ta cousine tout de même!

— Désolé, ça m'a échappé. Mais ça m'ennuie vraiment qu'elle ne soit pas là. Cyrielle était censée rapporter le parchemin d'or à Verciel pour le mettre en sécurité. Il n'y a que nous deux qui pouvons le toucher et je n'ai pas envie de m'éclipser pour le ramener moi-même. Regarde, notre ami Bromyr ne manque pas à son devoir, lui.

Luna vit en effet que le général venait de récupérer le bouclier des elfes dorés. Lorsqu'il se rendit compte que Thyl et Luna le dévisageaient avec insistance, il se justifia:

— Kendhal m'a demandé de le mettre en lieu sûr une fois la cérémonie terminée.

— Naturellement, approuva Thyl, l'air préoccupé.

L'adolescente vit qu'un guerrier drow qu'elle ne connaissait pas venait de léviter vers la statue d'Eilistraée.

— Qui est-ce? souffla-t-elle à Thyl.

— Platzeck est le nouveau bras droit d'Edryss. C'est lui qui va remplacer Sarkor au Conseil.

Luna regarda l'elfe noir envelopper avec soin la délicate statue d'albâtre et disparaître aussi rapidement qu'il était apparu.

— Pourquoi ne pas laisser les talismans ici encore un moment ? demanda Luna à Thyl qui scrutait la foule à la recherche de sa cousine. Les noces ne font que commencer. Et puis, c'est plutôt joli.

— Le banquet nuptial a lieu dans le patio aux myrtes et je ne tiens pas à ce que notre trésor reste ici sans protection. Il représente beaucoup trop pour nous. Kendhal et Edryss partagent apparemment mes inquiétudes, puisqu'ils ont également demandé à leur second de récupérer le leur.

— Tu crois que quelqu'un voudrait les voler ?

— Non, mais je préfère savoir le mien précieusement conservé au cœur de mon palais plutôt qu'exposé ainsi à tous les regards.

Luna se contenta de hocher la tête en fixant avec circonspection le morceau d'écorce qui servait d'emblème aux elfes de lune. Apparemment, il n'était pas précieux au point que sa mère demande à une personne de confiance de le récupérer. Le regard rivé sur le bout de bois, elle était en pleine méditation quand Elbion la tira de ses rêveries.

— Luna, ta mère t'appelle.

— Oui ? fit l'adolescente en se tournant vers Ambrethil.

— Tu viens, chérie ? Allons retrouver Edryss et Kendhal qui nous attendent dans le patio et libérer ainsi nos pauvres jeunes mariés de la sollicitude de leurs invités.

— Tu n'as demandé à personne de récupérer notre… talisman ? s'inquiéta l'adolescente.

— Si, bien sûr. Notre ami Syrus va s'en charger. Il ne siège pas au Conseil de l'Union, mais il était le bras droit de mon père et à ce titre il me semblait que cet honneur devait lui revenir. Tiens, regarde, le voilà qui arrive, justement.

Luna s'inclina devant son ancien professeur d'elfique avec le respect dû à son rang et à son âge. Elle s'apprêtait à suivre sa mère lorsqu'elle vit Cyrielle monter sur l'estrade à côté de son cousin.

— Ah, te voilà enfin ! s'exclama Thyl.

— Quelle cohue ! Je n'arrivais pas à m'en dépêtrer.

— Tu parles ! railla son cousin. Tu faisais encore les yeux doux à ce type. Comment s'appelle-t-il déjà ?

— Pas du tout, je confiais Haydel à Allanéa, protesta la jeune femme en s'emparant du parchemin d'or. Et ce n'est pas ma faute si plusieurs soupirants se sont mis en travers de mon chemin. Ce sont eux qui me courent après, pas l'inverse, figure-toi !

Thyl riait encore quand il rejoignit Luna.

— Cyrielle s'est mise en quête d'un bon parti, glousssa-t-il. Elle veut absolument être la prochaine à se marier.

— Tu n'as qu'à lui demander sa main, rétorqua l'adolescente, espiègle.

— Les mariages consanguins sont interdits chez nous. Par contre, rien ne s'oppose à ce que j'épouse une jeune et jolie elfe de lune…

— Bien trop jeune pour toi, Thyl, laisse tomber, le rembarra-t-elle en souriant.

Lorsque Thyl et Ambrethil descendirent de l'estrade, la foule s'écarta respectueusement. Darkhan et Assyléa, qui commençaient à se sentir oppressés au milieu de leurs invités, les remercièrent d'un sourire et prirent la tête du cortège.

Le patio des myrtes, vaste cour située au centre du palais, avait été merveilleusement aménagé. Des guirlandes de jonquilles et de narcisses ornaient les murs et s'enroulaient élégamment autour des colonnes. Des boissons pétillantes aux reflets argentés coulaient à flots des fontaines, tandis que des tables couvertes d'une profusion de mets délicats attendaient les convives sur l'immense pelouse.

Les jeunes mariés furent accueillis par Edryss et Kendhal qui leur lancèrent des pétales scintillants comme des diamants. Luna en profita pour se rapprocher de son ami.

— Coucou ! fit-elle en se glissant entre les convives. Tu es très élégant, dis donc.

— Merci ! Ta robe n'est pas mal non plus. Dis, je n'ai pas vu le Marécageux. Je suis surpris.

Luna se raidit, légèrement vexée qu'il ne fasse pas plus cas de sa tenue, mais elle répondit comme si de rien n'était :

— Il voulait venir, mais, comme il souffre de rhumatismes et qu'il marche de plus en plus difficilement, Darkhan préférait qu'il ne fasse pas le déplacement. Il a promis de lui rendre visite dans la semaine... C'était une belle cérémonie, n'est-ce pas ?

— Très ! lâcha-t-il, laconique. Désolé, mais j'ai encore quelques personnes à saluer. On se voit plus tard ?

Abasourdie par la goujaterie de son ami, Luna le regarda s'éloigner, bouche bée.

— C'est ce qu'on appelle se faire envoyer sur les roses, on dirait, murmura Thyl juste derrière elle. Franchement, quel toupet ! Moi, quand une demoiselle aussi charmante vient me faire la conversation, je bénis Abzagal de m'octroyer un tel privilège. Je savoure avec délice chacune de ses paroles qui sont à mes oreilles le plus succulent des nectars.

Luna, qui n'avait jamais rien entendu d'aussi ridicule, éclata de rire.

— Eh bien, voilà ! s'extasia Thyl, amusé. Franchement, je préfère quand tu souris. Allez, oublie-le et profite de la fête.

— Il a raison, approuva Elbion. Ce n'est pas parce que Kendhal est de méchante humeur qu'il doit te gâcher ce moment unique. Tu peux t'amuser sans lui et... sans moi. Il est temps que je m'éclipse. Toute cette nourriture me fait saliver. Je vais chasser. On se retrouve ce soir ?

— D'accord, à ce soir ! répondit Luna.

— Heu, oui, c'est ça, à ce soir... rétorqua Thyl un peu surpris par l'invitation soudaine de l'adolescente.

Bien sûr, il ne pouvait savoir que Luna conversait avec Elbion et il ignorait qu'en réalité elle s'adressait à son frère de lait. Mais, lorsque Luna se rendit compte du quiproquo qu'elle avait créé, il était trop tard et le jeune empereur s'éloignait déjà, l'air tout guilleret. Luna s'apprêtait à lui courir après pour dissiper tout malentendu quand Darkhan l'interpella :

— Alors, Luna, qu'as-tu pensé de la cérémonie ?

— C'était fantastique. Vous êtes tellement beaux, tous les deux ! C'était très émouvant. Mais… où est donc passée Assyléa ?

— Heu… elle doit être par là. Tu sais, elle est très sollicitée, aujourd'hui.

— J'ai un petit cadeau pour elle, fit-elle en fouillant dans sa pochette en organdi bleu. Et pour toi aussi.

— Non, il ne fallait pas, tu sais bien que je…

Mais lorsqu'il vit la dague ayant appartenu à Hérildur les mots lui manquèrent. Il prit l'arme en argent et la soupesa délicatement, muet d'admiration. Des larmes brillaient dans ses yeux.

— Merci, Luna, murmura-t-il en glissant le poignard dans sa ceinture. Rien ne pouvait me faire plus plaisir. Tu ne vas jamais me croire, mais, tout à l'heure, lorsque les lumières se sont éteintes je suis certain d'avoir entendu…

— … grand-père ? Je sais. Il vient parfois me parler dans mes rêves.

— Ah, Luna, je te cherchais justement ! s'exclama Assyléa qui venait d'arriver, deux coupes à la main. Tiens, c'est pour toi.

— Merci ! Mais, avant de trinquer à votre bonheur, moi aussi j'ai quelque chose pour toi.

Elle lui tendit l'écrin qu'elle avait apporté. Assyléa s'empressa de l'ouvrir et ne put retenir un sifflement admiratif.

— Il est magnifique, Luna! Ça tombe bien, j'adore l'ambre.

— Je sais, rétorqua l'adolescente radieuse. Et je me suis dit que cela irait à merveille avec la couleur de ta robe.

— C'est vrai que tu ne pouvais pas mieux trouver. Vite, accroche-le-moi, fit Assyléa en offrant sa nuque à son amie.

Luna s'exécuta avec fierté. Elle accepta ensuite la coupe de boisson pétillante proposée.

— Allez, je lève mon verre à votre amour, à votre bonheur et à tous les petits drows que vous allez nous faire!

Assyléa leva sa coupe pour trinquer, mais arrêta son geste en découvrant la tête que faisait Darkhan.

— Les petits drows qu'on va vous faire? répéta-t-il en ouvrant des yeux ronds.

— Eh bien oui, des bébés! insista Luna. C'est dans la logique des choses...

Son cousin éclata de rire.

— Je suppose, en effet, mais je crois que ma jeune épouse et moi-même avons bien le temps d'y penser. Chaque chose en son temps. N'est-ce pas Assy?

— Heu, oui, bien sûr! approuva-t-elle en vidant sa coupe d'un trait.

Ils discutèrent encore un moment tous les trois, puis l'adolescente profita de l'arrivée bruyante d'un groupe d'amis de Darkhan pour s'éclipser discrètement et aller se mêler aux convives. Avec simplicité, elle plaisanta en compagnie de nombreux courtisans, distribua sourires et compliments, picora quelques amuse-gueules et vida plusieurs coupes. L'ambiance était festive, détendue et, de l'avis de tous, c'était la cérémonie la plus réussie à laquelle avaient assisté les elfes depuis bien longtemps.

Pourtant, en coulisse se tramait un drame dont personne n'avait conscience. Dans les couloirs déserts du palais, le vieux Syrus se dirigeait tranquillement vers la salle du reliquaire où était habituellement conservé leur précieux morceau d'écorce. La reine avait pris une sage décision en lui demandant de le remettre en lieu sûr au plus vite. Certes, l'idée d'Edryss d'exposer leurs quatre talismans avait été originale et symboliquement forte. C'était à juste titre que les quatre souverains avaient tous fini par l'accepter. Mais, maintenant que tout le monde avait bien vu l'objet sacré des elfes de lune, mieux valait le ranger au plus vite.

Le vénérable elfe, perdu dans ses pensées, ne vit pas l'ombre qui se glissait furtivement derrière lui. Un violent coup à la nuque le fit s'écrouler. D'une main sûre, le mystérieux malfaiteur récupéra le talisman avant qu'il ne tombe sur le sol et le glissa dans un coffre noir. Après quoi il transporta le corps inerte jusqu'à un salon où on ne le trouverait pas de sitôt. Inutile de sonner l'alarme trop vite.

— Et de un! murmura-t-il, satisfait, avant de se fondre dans les ténèbres.

# 3

Sylnor ferma les yeux pour mieux se concentrer. Elle fixa mentalement l'image de sa sœur, bloqua sa respiration et banda son esprit au maximum. Ses paupières se plissèrent, son nez se fronça et sa bouche se tordit dans un rictus crispé. Sur sa joue noire, la toile d'araignée tatouée par la déesse tressaillit sous l'effort.

Soudain une vague d'énergie jaillit de son corps frêle et frappa de plein fouet l'esclave ligotée qui lui servait de cobaye. La femme mourut sur le coup, sans un cri.

— Ah, enfin ! s'écria Lloth avec un soulagement certain.

Il y avait plusieurs heures déjà qu'elle suivait les progrès de sa protégée par le biais de la statue de la chapelle privée. L'adolescente semblait exténuée, mais ravie.

— Vous avez vu? s'exclama-t-elle en souriant. Il n'y a pas à dire, je suis vraiment douée!

— N'exagérons rien. Il t'aura quand même fallu dix essais pour parvenir à ce piètre résultat.

Sylnor se figea.

— Comment ça, piètre résultat! rétorqua-t-elle, pleine de suffisance. Elle n'a même pas eu le temps de gémir!

— Si tu avais été en face de ta sœur, tu serais morte depuis longtemps, gronda l'araignée, acerbe. Certes, tu as réussi à produire un orbe énergétique capable de tuer, mais c'est encore très insuffisant. Je te rappelle que cette pauvre fille était sans défense et incapable de bouger. En d'autres mots, tu es encore très loin du but.

— Mais je...

— Suffit! Si tu veux parvenir à vaincre Luna, il te faudra devenir meilleure qu'elle. Et pour le moment tu ne lui arrives même pas à la cheville. Ce sont des dizaines et des dizaines d'heures d'entraînement qui t'attendent encore.

Vexée, Sylnor grimaça en haussant les épaules. Cette attitude désinvolte irrita Lloth.

— Dis donc, petite ingrate, si parmi les trois pouvoirs que je t'ai octroyés tu as choisi celui-ci précisément, c'est bien parce que Luna le possède, n'est-ce pas ? J'ai eu beau te mettre en garde, arguant qu'il était difficile à maîtriser, tu as insisté pour l'obtenir. Maintenant, ne viens pas te plaindre. Assume ! Comporte-toi enfin comme une grande prêtresse au lieu de geindre comme une gamine capricieuse.

Frappée de stupeur, Sylnor serra les poings en se mordant la lèvre inférieure. Jamais encore la déesse ne l'avait rabrouée de la sorte. Elle était la maîtresse suprême du monastère, tout de même, pas une vulgaire novice !

— De quel droit vous…

— Tais-toi ! lui intima Lloth sur un ton qui n'admettait aucune réplique. Tu n'as pas droit de parole. Tu es là pour écouter et obéir. Rappelle-toi que désormais ta vie m'appartient et que sans moi tu n'es rien. Tu n'es rien de plus qu'un instrument, mon instrument. Tu agiras selon mon bon vouloir ou tu périras comme les matriarches qui t'ont précédée. C'est face à ton clergé que tu dois t'imposer, pas face à moi !

Mortifiée, Sylnor sentit la honte l'envahir. Sa colère retomba d'un coup. À force de côtoyer Lloth tous les jours, elle en avait quelque peu oublié sa vraie nature. La déesse était l'entité la plus puissante de Rhasgarrok et il lui suffisait d'un simple regard pour pulvériser sa vie de mortelle.

Sylnor tomba à genoux devant la statue, dans une attitude de respect et de soumission. Elle paraissait soudain si fragile et vulnérable dans sa diaphane robe blanche étalée sur le sol comme une corolle !

— Vous avez raison, ô grande déesse, murmura-t-elle. Matrone Zélathory me reprochait mon impulsivité. C'est vrai que je suis pressée d'en découdre avec ma sœur et que j'enrage de devoir attendre. Je voudrais tellement pouvoir l'affronter dès maintenant !

— Et pourtant, tu devras te montrer patiente si tu veux vaincre Luna. Tu es loin d'être prête et puis... il y a d'autres priorités.

— Ah bon ! Lesquelles ?

La divinité impassible répondit à la question de sa protégée par une autre.

— Dis-moi, comment est-ce que cela se passe avec tes prêtresses ?

— Euh... Pourquoi ? balbutia Sylnor, désarçonnée.

— Je trouve curieux que tu sois toujours seule. Voilà une semaine que je t'ai intronisée et tu n'as toujours pas nommé d'intendante pour remplacer dame Klarys qui s'est enfuie. De la même façon, tu n'as pas encore de première prêtresse. Qu'attends-tu, Sylnor ?

L'adolescente se renfrogna.

— Je suis quelqu'un de solitaire, protesta-t-elle. Je n'ai besoin de personne.

— Détrompe-toi. En restant seule, tu fragilises ta position. Les autres risquent de se liguer contre toi. Tu n'es pas à l'abri d'une rébellion. Il te faut trouver des alliés au plus vite et t'entourer intelligemment.

— Peuh... je n'ai confiance en personne.

— Eh bien, sers-toi du deuxième pouvoir que je t'ai attribué ! insista Lloth. La légilimancie te permet de sonder n'importe quel esprit. C'est d'une simplicité enfantine.

L'adolescente baissa la tête, comme pour éviter le regard brillant de la déesse.

— Quoi ? s'exclama Lloth, furieuse. Ne me dis pas que ça non plus, tu n'y arrives pas ! Je suis tombée sur la plus godiche du monastère, ou quoi ?

L'orgueil démesuré de Sylnor la fit réagir vivement. La critique était trop injuste pour qu'elle se laisse réprimander ainsi sans rien dire.

— J'arrive parfaitement à lire dans l'esprit des gens qui m'entourent. Là n'est pas le problème.

— Où est-il, alors ?

— Le problème, c'est ce que je lis dans leur esprit, justement.

— Ah ? s'étonna la déesse. Et que lis-tu ?

— Personne ne m'aime, se lamenta Sylnor. Toutes les prêtresses trouvent que je suis beaucoup trop jeune pour régner sur Rhasgarrok. Elles crèvent de jalousie et pensent que j'ai usurpé votre trône, que ma place n'est pas ici. Je sais qu'elles me trouvent stupide et prétentieuse et qu'elles rêvent toutes de me tuer.

— Et qu'est-ce qui les en empêche ? demanda la déesse, vaguement amusée.

— Ces traîtresses ont peur de moi. Elles craignent mes nouveaux pouvoirs, justement. Elles imaginent qu'une simple pensée me suffirait à mettre un terme à leur misérable petite vie, et elles attendent que quelqu'un de moins lâche agisse à leur place.

Contre toute attente, Lloth éclata de rire.

— Bienvenue dans les hautes sphères du pouvoir, Sylnor ! Tu t'attendais à quoi, en montant sur mon trône ? À être aimée, admirée, adorée ou même, pourquoi pas, adulée par ton clergé et ton peuple ? Quelle naïveté ! Crois-tu que Zesstra et Zélathory étaient aimées, elles ? Que nenni ! Aucun drow n'a jamais porté la grande prêtresse dans son cœur. Mais tous la respectent et lui obéissent parce qu'ils ont peur d'elle. Peur de sa puissance, de sa cruauté. Peur qu'une seule parole ne brise à jamais leur vie. La peur est la clé de tout.

La déesse marqua une pause.

— Tu dis que les prêtresses ont peur de toi. Très bien. Profite de cet atout. Tant qu'elles continueront à te craindre, tu resteras en vie. Par contre, sache que dans l'ombre elles guetteront ta moindre faiblesse comme des vautours affamés. Et, le jour où elles sentiront une faille, elles se jetteront sur toi pour te dévorer vive. Et là, je ne lèverai pas le petit doigt pour les en empêcher.

— Pour... pourquoi ? balbutia Sylnor.

— J'ai horreur des faibles ! Pourquoi crois-tu que j'ai laissé Sarkor tuer Zélathory ?

Sylnor déglutit en silence.

— Il est temps que tu t'imposes, Sylnor, l'exhorta-t-elle. Malgré ton jeune âge et ton manque d'expérience, tu seras une matriarche exceptionnelle, j'en suis convaincue. C'est pour cette raison que je vais te donner un conseil que tu vas t'empresser de mettre en application. Dès demain, à l'aube, tu convoqueras Ylaïs, Caldwen et Thémys. Ce sont les meilleures prêtresses du monastère. Ce sont également celles qui ont le plus d'influence sur les autres. Les plus dangereuses donc. Tu leur ordonneras de réunir chacune une équipe composée de prêtresses, de clercs et de novices. Ensuite tu leur donneras une mission et seul le groupe qui saura te donner entière satisfaction aura la vie sauve. Les autres seront impitoyablement sacrifiés. Tu verras, elles vont rivaliser d'ingéniosité pour être les meilleures et entrer dans tes bonnes grâces. Et, tant qu'elles s'affronteront les unes les autres, elles ne s'uniront pas contre toi. Divise pour mieux régner, Sylnor !

L'adolescente opina du chef.

— Compris, murmura-t-elle, je vais faire ce que vous dites...

— Aie confiance ! Si tu suis mes conseils, tout se passera au mieux. Allez, tu peux disposer, maintenant. Nous poursuivrons l'entraînement demain. J'espère que tu seras plus en forme !

Sylnor se releva lentement, comme si toute la misère du monde pesait sur ses épaules. Elle salua l'imposante statue avec déférence et quitta la chapelle en silence. Elle se sentait vidée, moralement et physiquement.

Décidément, la charge de grande prêtresse était loin d'être aussi exaltante qu'elle se l'était imaginée. Elle avait cru qu'en montant sur le trône elle serait tellement puissante que toute la ville se prosternerait à ses pieds, que la simple évocation de son nom suffirait à faire trembler son peuple. Or, depuis une semaine, elle n'avait jamais connu pire journée.

D'abord, pour son intronisation, il n'y avait eu ni cérémonie officielle en grandes pompes ni sacrifices sanglants comme elle l'espérait. Il était inutile de crier sur les toits que la nouvelle matriarche était une gamine d'à peine treize ans, avait décidé Lloth. Tout s'était passé en secret dans la chapelle privée, au grand dam de l'adolescente. Seul le motif arachnéen qui ornait à présent la partie droite de son visage proclamait l'insigne honneur que lui avait fait la déesse en la choisissant.

Lorsqu'elle avait remonté de sa chapelle après l'intronisation, Sylnor avait dû affronter l'incrédulité, puis l'hostilité de l'ensemble des pensionnaires du monastère. Consternée par leur attitude irrévérencicuse et le mépris qu'affichaient ouvertement les prêtresses offensées de n'avoir pas été choisies, Sylnor avait préféré se cloîtrer dans ses appartements et affûter ses pouvoirs. Hélas, ceux-ci s'étaient avérés beaucoup plus difficiles à acquérir qu'elle ne l'avait cru, surtout celui de sa sœur.

Ensuite, il y avait eu la regrettable disparition de dame Klarys. Sylnor ignorait par quel moyen la traîtresse était parvenue à s'enfuir alors que les portes du monastère avaient été dûment scellées. La seule explication logique était qu'elle avait bénéficié d'une complicité intérieure, ce qui n'était pas pour rassurer la jeune matriarche.

En fait, dans sa prison dorée, Sylnor se sentait de plus en plus seule et incomprise.

Constamment sur la défensive, elle évitait les autres, consciente que ces pestes complotaient dans son dos, attendant le meilleur moment pour l'étriper et prendre sa place.

L'adolescente soupira. Lloth avait raison, il était temps que les choses changent.

Viendrait le jour de la vengeance où elle réglerait son compte à Luna et à Ambrethil, une bonne fois pour toutes. Mais elle allait d'abord devoir s'imposer au monastère. En suivant le conseil avisé de sa protectrice, elle prouverait que sa jeunesse n'était pas un handicap, au contraire. Elle allait mettre sa vitalité au service de sa soif de pouvoir, sa cruauté et son sadisme au service de son despotisme. Elle était la grande prêtresse et devait se comporter comme telle. Désormais, quiconque se mettrait sur son chemin périrait de sa main, et tant pis si son règne devait commencer dans le sang. L'idée de diviser le clergé en trois clans était excellente. Faire le tri pour ne garder qu'un noyau de fidèles. Il serait toujours temps d'organiser ensuite une grande rafle en ville pour récupérer de nouvelles novices qu'elle formerait à sa façon, de nouvelles recrues parfaitement loyales.

En regagnant ses appartements, la jeune matriarche, absorbée dans ses pensées, se réjouissait à l'avance des projets qui germaient dans son esprit lorsqu'une jeune servante courut à sa rencontre en la hélant à grands cris.

— Matrone Sylnor ! Matrone Sylnor, répéta-t-elle, à bout de souffle, Ylaïs vous fait mander dans le salon pourpre de toute urgence !

Sylnor se raidit. Depuis quand Ylaïs se permettait-elle de la convoquer de la sorte ? Cette prêtresse ne manquait pas de toupet.

— Je ne suis pas d'humeur à recevoir des ordres ! rétorqua-t-elle sèchement tout en continuant à marcher.

— Mais elle a dit que c'était vraiment très important ! insista la domestique.

— Plus tard ! aboya Sylnor en s'arrêtant brusquement pour foudroyer l'importune du regard. Quelques coups de fouet t'aideront-ils à comprendre ?

— Oh, maîtresse, je vous en supplie, implora l'autre, sur le point de pleurer. Il s'est passé quelque chose en ville. Quelque chose de grave…

À ces mots, le cœur de Sylnor rata un battement. Assaillie par un mauvais pressentiment, elle fit volte-face et se précipita en direction du salon pourpre sans un regard pour la domestique qui tremblait encore.

En se composant un visage fermé, la jeune matriarche ouvrit brusquement la porte, prête à incendier l'intrépide prêtresse qui l'avait convoquée, même si c'était pour une bonne raison.

Pourtant en apercevant Ylaïs en compagnie d'une garde qu'elle ne connaissait pas, Sylnor se raidit. Comprenant que la prêtresse drow avait désobéi à ses ordres en laissant une étrangère entrer dans son domaine, elle hésita entre peur et colère.

La gorge sèche, elle avança sans un mot vers les deux femmes, craignant soudain d'être tombée dans un piège. Un sentiment de panique la gagna. Elle s'apprêtait à bander son esprit pour faire appel au pouvoir de Lloth quand elle s'aperçut que la cuirasse de la guerrière était éventrée à plusieurs endroits et laissait apparaître des plaies plus ou moins profondes. Deux pansements de fortune imbibés de sang entouraient ses mains. Son menton et ses cheveux étaient également maculés de sang. Quant à ses yeux, ils semblaient complètement dépourvus de vie. Bien qu'elle tînt encore debout, la garde ressemblait déjà à un cadavre.

Sylnor la toisa rapidement sans s'émouvoir de ses blessures, puis elle vrilla son regard dans celui de la prêtresse. Ce qu'elle y lut la pétrifia.

Aussi belle que cruelle, Ylaïs jouissait d'une réputation de tueuse implacable. Sylnor ne l'avait jamais vue hésiter devant une épreuve. Pourtant, en cet instant, ses yeux écarlates transpiraient la terreur.

— Que se passe-t-il? gronda Sylnor en s'efforçant de maîtriser les tremblements de sa voix pour cacher sa nervosité.

— Cette guerrière fait partie d'une des unités d'élite du secteur nord. Je la connais; nous étions dans la même chambrée lorsque nous étions novices. D'après ce que j'ai réussi à comprendre, son unité a été attaquée. Elle serait la seule rescapée.

— Et c'est pour cela que tu l'as laissée pénétrer dans le monastère au mépris des règles que j'ai édictées! tempêta l'adolescente. J'avais pourtant été très claire là-dessus!

— C'est vrai, mais...

— Ce n'est pas la première fois qu'une patrouille subit une attaque, que je sache! A-t-on capturé les coupables?

Ylaïs secoua la tête négativement.

— Je crois qu'on ne les retrouvera jamais.

— Comment cela? fit Sylnor en fronçant les sourcils.

Elle tourna la tête vers la survivante qui, prostrée, n'avait ni ouvert la bouche ni bougé d'un millimètre.

— Eh bien? J'attends une explication! fit matrone Sylnor. Qui vous a attaquées?

— Sauf votre respect, elle ne vous répondra pas, fit Ylaïs à sa place. Ses agresseurs lui ont coupé les oreilles et la langue.

— Ne peut-elle pas écrire ? proposa aussitôt l'adolescente, indifférente aux atroces mutilations qu'avait subies la malheureuse.

— Hum… Ils lui ont également amputé les mains, expliqua la prêtresse en montrant les bandages sanguinolents de la guerrière.

— Bon, eh bien ! il ne me reste plus qu'à sonder son esprit !

— J'ai déjà essayé, mais sans succès. On dirait qu'elle a été… vidée.

Sylnor leva les yeux au ciel, agacée par l'incompétence de sa subordonnée, et envoya ses ondes mentales à l'assaut du cerveau de la garde. Quelques secondes lui suffirent à se faire une idée.

— Ça alors ! s'exclama-t-elle, ébahie. Sa mémoire a totalement disparu ! Hormis l'ordre de se rendre ici, il n'y a plus une pensée dans sa tête. C'est incroyable ! Je n'ai jamais vu ça !

— Il est clair que ses agresseurs ne voulaient pas qu'elle communique avec nous. Toutefois, ils nous ont laissé un indice : elle portait ça autour du cou.

Dans la main de la prêtresse brillait un minuscule scorpion en or.

— Qu'est-ce que c'est que ce truc ? murmura Sylnor en s'en emparant, curieuse.

— On dirait l'emblème d'une divinité.

— Si tel est le cas, j'ai comme l'impression que ses adorateurs cherchent à nous défier, conclut l'adolescente d'une voix grave. Ils vont voir quel sort je réserve aux rebelles.

Alors que la grande prêtresse pivotait déjà pour quitter la pièce, Ylaïs l'interpella.

— Que fait-on de cette guerrière ? demanda-t-elle en désignant la sentinelle du menton.

Matrone Sylnor haussa les épaules comme si la réponse était une évidence.

— Elle ne nous sert à rien dans l'état où elle est. Achève-la !

# 4

Dans un tourbillon de fleurs évanescentes, Luna dansait, dansait à s'en étourdir, dans les bras de Kendhal. Suspendue au cou du jeune homme, les yeux plongés dans les siens, elle sentait son cœur battre avec intensité. Leur communion était si parfaite, si absolue ! Elle était consciente que les convives avaient cessé de danser et que tous les regards convergeaient à présent dans leur direction, mais cela lui était bien égal. Rien d'autre ne comptait plus que cet instant de bonheur infini.

— Lunaaa !

L'adolescente cessa brusquement de tournoyer et chercha dans la foule qui avait eu l'audace de l'importuner.

— Luna, réveille-toi !

L'image de Kendhal explosa comme une bulle, ramenant brutalement Luna dans son lit. En se rendant compte que cette danse effrénée n'était que le fruit de son imagination, elle s'empourpra. En fait, elle en voulait tellement à Kendhal de l'avoir ignorée la veille qu'inconsciemment son esprit avait pris le relais pour combler sa frustration. C'était vraiment navrant. Pourtant elle n'eut guère le temps de s'apitoyer sur elle-même, tant le visage d'Assyléa, à quelques centimètres du sien, reflétait une angoisse inhabituelle.

— Luna, vite, il s'est produit un drame !

— Il est arrivé quelque chose à Darkhan ? s'écria Luna en se redressant.

Le sourire fugace qui passa sur les lèvres de son amie la rassura aussitôt.

— Par Eilistraée, non ! C'est lui qui m'envoie te chercher. Allez, dépêche-toi de te lever et de t'habiller.

Sans se faire prier, Luna sauta de son lit. Elle attrapa une tunique vert pomme brodée d'or et un pantalon de soie violine.

— Que s'est-il passé ? Et où allons-nous ?

— Dans la salle du conseil de l'Union elfique.

L'adolescente s'arrêta, interloquée.

— À cette heure ? Mais...

— Vite, tout le monde nous attend. Je t'expliquerai en chemin de quoi il retourne.

Luna enfila ses bottes, arrangea ses cheveux d'une main rapide et bondit à la suite de son amie. Elle eut tout de même le temps de s'apercevoir qu'Elbion n'était plus dans la chambre. À moins qu'il ne fût pas rentré de la nuit ! En fait, elle avait l'esprit tellement embrumé en allant se coucher la veille qu'elle ne se souvenait même plus si son frère était là à l'attendre.

— Hier soir, pendant que nous étions tous en train de nous amuser, Syrus a été attaqué, expliqua Assyléa sans cesser de courir.

— Quoi ? Il est mort ?

— Non, fort heureusement. Je pense que son agresseur n'avait pas l'intention de le tuer, mais il l'a frappé à la nuque suffisamment fort pour qu'il perde connaissance.

— Je ne comprends pas ! Qui a bien pu s'en prendre à notre vieil ami ? Il est tellement...

Soudain Luna comprit et s'arrêta pile.

— Cornedrouille, le talisman !

La drow s'arrêta également et hocha la tête avec gravité.

— Quelqu'un a profité du fait que nous étions tous occupés à festoyer pour voler votre emblème. C'est pour cette raison que ta mère a convoqué le Conseil ce matin.

Luna sentit une vague de panique l'envahir et reprit sa course dans les couloirs du palais.

Lorsque les deux princesses firent irruption dans la salle du conseil, les huit autres membres étaient déjà assis autour de la table ronde. Luna et Assyléa saluèrent rapidement l'assemblée et gagnèrent leur place en silence. Les visages étaient fermés et la tension était palpable.

— Puisque tout le monde est là, je déclare la séance ouverte, fit Ambrethil d'une voix faible.

La reine des elfes argentés, si belle la veille, semblait tellement abattue qu'elle avait à peine la force de parler. Ce fut Darkhan qui prit le relais :

— Luna, je suppose qu'Assyléa t'a mise au courant ?

Comme la jeune fille acquiesçait, le jeune sang-mêlé poursuivit :

— Mes amis, je ne vous cache pas que l'heure est grave. Jamais dans l'histoire de notre peuple la très sainte relique de Ravenstein n'avait été l'objet d'un tel sacrilège. Nous sommes fort inquiets car, pour le moment, nous ignorons tout de l'identité du criminel et de ses intentions.

— Syrus a-t-il repris connaissance ? demanda Edryss, soucieuse. Vous a-t-il appris quelque chose ?

— Il est revenu à lui il y a une heure environ. Je suis allé à son chevet pour l'interroger, mais, hélas ! tout s'est passé tellement vite qu'il n'a pas eu le temps de voir son agresseur.

Et, comme le lieu de l'attaque était désert à ce moment-là, nous n'avons aucun témoin. Retrouver le coupable risque de s'avérer très difficile.

— Voire carrément impossible, murmura Bromyr en se frottant le menton.

Le général semblait particulièrement affecté.

— Excusez mon ignorance, intervint Kendhal, mais quelle est l'origine de votre talisman? Je veux dire: que représentait-il pour vous?

Luna le dévisagea avec froideur, même si intérieurement elle se sentait soulagée que quelqu'un d'autre qu'elle ait posé cette question qui la taraudait depuis un moment.

Ambrethil se racla la gorge avant de parler, peut-être pour se donner un peu de courage.

— Même si aux yeux de certains notre talisman ne ressemble qu'à un vulgaire morceau de bois, commença-t-elle, il s'agit sans conteste du plus ancien et du plus précieux de tous.

Bromyr et Thyl sourcillèrent, mais ils eurent la courtoisie de ne pas contredire la reine qui continua:

— Eh bien! ce morceau d'écorce, n'en déplaise à certains, est aussi vieux que notre forêt. Apprenez qu'il nous vient du premier arbre de Ravenstein, un frêle petit chêne qui a grandi au fil des ans, puis des siècles, jusqu'à devenir un colosse majestueux. Malheureusement il a été abattu et brûlé par nos ennemis lors des guerres elfiques. Seule cette relique a pu être sauvée. Ce n'est pas grand-chose, me direz-vous. Pourtant c'est bel et bien la puissance de ce talisman qui protège notre forêt aujourd'hui.

L'assemblée retint son souffle, craignant de comprendre.

— Tu veux dire que ce morceau d'écorce contient l'esprit de Ravenstein ! réalisa Luna en ouvrant des yeux épouvantés.

— Absolument, acquiesça Darkhan. Voilà pourquoi nous sommes aussi désemparés. Si le malfaiteur détruit cette relique, je crains qu'il ne détruise également l'esprit de la forêt et par conséquent la puissante protection dont nous jouissons actuellement.

Cette révélation ébranla tous les membres du Conseil. Edryss jeta un coup d'œil inquiet à Platzeck, son nouveau bras droit. Après un long silence, Thyl prit la parole :

— Ainsi, si les dragons nous attaquent à nouveau, nous n'aurons aucun moyen d'échapper à leurs flammes ?

— Et si une armée de guerrières drows envahit la forêt, rien ne les empêchera d'atteindre Laltharils ? enchaîna Kendhal.

— Vous avez tout compris, mes amis, conclut Darkhan, ténébreux.

Un nouveau silence s'ensuivit, plus long, plus pesant. Devant l'ampleur de la catastrophe, personne n'avait de solution à proposer.

— Attendez, ne paniquons pas, déclara soudain Luna. Nous ne savons pas qui a volé la relique, certes, mais rien ne nous dit que le malfaiteur veuille la détruire. Il voulait peut-être l'avoir dans sa maison, pour lui tout seul, à moins qu'il ne nous demande une rançon. Attendons de voir. En outre, tant que nos ennemis ignorent que la protection de Ravenstein n'est plus assurée, ils ne tenteront rien. Leurs précédentes tentatives les ont bien échaudés, je crois.

Assyléa et Cyrielle qui n'avaient rien dit jusqu'à présent hochèrent la tête pour soutenir leur amie, mais Bromyr ne semblait pas du même avis.

— Sauf s'ils apprennent que vous n'êtes plus en possession de l'écorce de Ravenstein.

— Et comment l'apprendraient-ils? fit Edryss en plissant les yeux. Il leur faut aussi savoir que le talisman contient l'esprit de Ravenstein, ce qui semble un secret plutôt bien gardé, puisque plusieurs d'entre nous ignoraient ce fait jusqu'à ce matin.

— Vous voyez très bien ce que je veux dire, ma chère !

— Non, allez jusqu'au bout de vos pensées, je vous prie.

— Hum, nous ne devons pas exclure l'hypothèse que le voleur soit en réalité un traître, un initié instruit du secret, de surcroît. Première étape, s'emparer de la relique pour la détruire. Deuxième étape, rentrer à Rhasgarrok pour prévenir matrone Zélathory. Vous n'avez, je pense, aucune difficulté à imaginer la troisième étape.

Un frisson glacé parcourut Luna. Bromyr n'avait pas tort. Pour sa part, Darkhan blêmit. Il savait par expérience de quoi la terrible matrone était capable. C'était elle qui avait ensorcelé Halfar pour qu'il assassine son propre grand-père. Envoyer un espion faire le sale boulot pour ensuite raser la forêt était, hélas ! tout à fait dans ses cordes.

Edryss aussi était livide, mais pas pour les mêmes raisons.

— J'espère que vous n'êtes pas en train d'insinuer que mon peuple abrite un traître ! s'écria-t-elle, en étrécissant les yeux.

L'accusation était grave et chacun retint sa respiration.

— Le général n'a pas dit cela, avança Cyrielle qui sentait que la tension avait monté d'un cran.

— C'est vrai, reprit Bromyr, je n'ai rien insinué de tel. D'ailleurs je me garderai bien d'accuser qui que ce soit. Mais, si je m'en tiens aux faits, c'est tout de même vous, Edryss, qui avez insisté pour que nos talismans soient exposés le jour des noces.

Edryss resta bouche bée, trop choquée pour s'exprimer. Ce fut Platzeck, qui s'était jusqu'alors contenté d'écouter, qui répondit à sa place:

— Bromyr, vos insinuations sont insultantes pour notre peuple. Les intentions d'Edryss étaient tout à fait louables et vous en faites une sombre machination. C'est lamentable ! Je vous rappelle que notre communauté est venue s'installer ici parce qu'Hérildur avait confiance en nous. Oseriez-vous remettre son jugement en doute ?

Les choses prenaient une tournure de plus en plus malsaine. Darkhan tenta d'apaiser les tensions:

— Allons, mes amis, ce drame nous affecte tous, mais il est inutile de rejeter la faute sur qui que ce soit…

— Dans ce cas, nous ne trouverons jamais le coupable ! rétorqua Thyl, d'une voix déterminée. Bromyr a raison de s'interroger. Moi non plus, je n'aimais pas l'idée de voir mon parchemin d'or exposé à la vue de tous. J'avoue avoir accepté à contrecœur. Je me dis qu'il aurait également pu être volé. Il est légitime de se poser les bonnes questions.

— Et quelles sont les bonnes questions d'après vous? grinça Platzeck.

— Pouvez-vous nous certifier que tous les vôtres sont des drows repentis? répondit Thyl.

— Pouvez-vous vous porter garants de la sincérité de tous les membres de votre communauté? ajouta Bromyr.

C'en fut trop pour Edryss qui se leva brusquement, aussitôt imitée par Platzeck. Sur son visage couleur cendre se lisait toute sa fureur.

— Bromyr, Thyl, inutile de vous dire à quel point je suis consternée par vos accusations sans fondement. Il est regrettable de voir qu'au premier incident ce sont les drows qui sont montrés du doigt. Je pensais que nous formions une communauté unie et soudée. En fait, il n'en est rien.

Sans ajouter un mot, Edryss se dirigea vers la sortie. Assyléa se leva pour lui emboîter le pas, mais, avant de quitter la salle du conseil, elle se tourna vers Darkhan. Dans son regard se lisait tout l'inconfort de sa situation. Le sang-mêlé n'hésita pas longtemps et choisit son camp en rejoignant son épouse.

— Je suis désolé, ma tante, fit-il en se tournant vers Ambrethil, mais je ne peux accepter qu'on salisse ainsi la communauté drow. Mon père, Sarkor, en faisait partie et il connaissait personnellement chacun des membres qui la composent. Lui aussi avait confiance en eux. Une confiance absolue, sinon il n'aurait pas pris de risque de les conduire ici. Ne pas soutenir Edryss dans cette épreuve reviendrait pour moi à renier mon père et mes origines drows.

Sur le point de franchir le seuil, il fit volte-face et apostropha Bromyr et Thyl, assis l'un à côté de l'autre :

— Votre attitude me déçoit grandement. En vous attaquant aux drows, vous vous attaquez aussi à ma femme. Hier, vous nous faisiez de grands sourires, mais vos propos prouvent toute votre hypocrisie. Et cela montre, hélas ! que l'union elfique dont nous rêvions n'est qu'une utopie. C'est vraiment dommage !

Ses propos jetèrent un tel froid dans la salle que personne n'osa ajouter quoi que se soit.

Une fois Darkhan sorti, ce fut au tour de Luna de se lever.

— Je partage le point de vue de mon cousin. Cette épreuve aurait dû nous rapprocher, au lieu de quoi elle a réveillé de vieilles rancœurs. Bromyr, je ne vous connais pas assez pour me permettre de vous juger. Par contre, Thyl, je ne te cache pas ma déception. Tes soupçons me choquent. Je te croyais ouvert et tolérant, juste et droit. Je me suis trompée.

— Luna, attends ! s'exclama l'empereur des avariels, écarlate.

Mais Luna ne se retourna pas. Le battant claqua dans son dos.

Ils n'étaient plus que cinq dans la salle lorsque Cyrielle reprit la parole.

— Moi, je pense qu'il ne sert à rien d'accuser à tort et à travers. Ce qu'il faut c'est mener une enquête. Nous finirons bien par trouver le coupable.

— J'approuve cette idée, murmura Ambrethil qui semblait sur le point de défaillir. Qui est d'accord ?

Les cinq membres levèrent la main en même temps.

— Dommage que la susceptibilité de certaines personnes ampute notre Conseil, remarqua Bromyr, mais puisque cinq membres sur dix sont d'accord, l'enquête est ouverte. J'accepte de m'en charger, si vous ne vous y opposez pas, bien entendu.

— Je me joins à vous, ajouta Cyrielle en se forçant à sourire.

— Bien. Puisque nous sommes d'accord, la séance est levée, déclara la reine des elfes de lune.

Tout à tour, Kendhal, Bromyr, Thyl et Cyrielle se levèrent pour quitter la salle du conseil. Seul Kendhal revint sur ses pas pour s'asseoir à la place de Luna, à droite d'Ambrethil.

— Désolé, murmura-t-il. Je regrette que les choses se soient passées ainsi.

— Je sais, mais je doute qu'Edryss oublie de sitôt les attaques portées contre son peuple, soupira la reine.

Comme le jeune homme hochait la tête en silence, elle reprit :

— Kendhal, j'aimerais profiter du fait que nous sommes seuls pour te demander si toi aussi tu crois que notre relique est entre les mains d'un traître drow.

Le roi des elfes dorés prit de temps de réfléchir.

— Je crois sincèrement qu'il ne faut négliger aucune piste. Celle d'un traître drow serait la pire de toutes, car elle signerait sans doute notre arrêt de mort. Mais il n'est pas impossible que quelqu'un d'autre se soit emparé du morceau d'écorce dans un tout autre but.

— Lequel ?

— Aucune idée, mais je compte bien mener ma propre enquête, parallèlement à celle de Bromyr. Cela reste évidemment entre nous.

La reine approuva avant d'ajouter :

— Tu pourrais peut-être demander à Luna de t'aider. Elle est très intuitive et perspicace, tu sais.

Le jeune homme eut soudain l'air gêné.

— Je vais essayer de la convaincre, mais je ne réponds de rien. C'est devenu un peu compliqué entre nous ces derniers temps.

Ambrethil lui adressa un petit sourire compréhensif, mais ne fit aucun commentaire.

Lorsque Kendhal s'en alla, la laissant seule, elle exhala un profond soupir de lassitude. Elle venait de vivre l'un des pires instants de sa vie. Le grand rêve d'unité voulu par son père venait de se briser. Elle aussi y avait cru, pourtant. Mais elle savait que, désormais, rien ne serait plus jamais pareil.

# 5

Lorsque la porte claqua dans son dos, Luna réprima une envie de pleurer. Pas de tristesse, mais de colère. Comment Bromyr et Thyl avaient-ils pu avoir l'audace d'accuser ouvertement Edryss ? C'était la première fois depuis sa création que le Conseil de l'Union elfique volait ainsi en éclats. Mais ce qui blessait le plus Luna, c'était que ce conflit venait de déchirer leur communauté et d'annihiler peut-être définitivement le rêve de son grand-père.

Pourtant, elle ravala ses larmes de rage pour s'élancer dans le couloir à la suite de Darkhan et d'Assyléa. En arrivant à l'angle d'un couloir, elle aperçut le jeune couple qui quittait le palais d'un pas décidé.

— Attendez-moi ! les héla-t-elle en courant dans leur direction.

— Luna ? Mais que fais-tu là ? se rembrunit Darkhan en s'arrêtant. Tu n'aurais pas dû nous suivre.

— Il le fallait. Rester là-bas, c'était cautionner les propos injurieux de Bromyr et de Thyl. Je trouve leurs accusations à l'encontre des drows totalement injustifiées.

— C'est également pour cette raison que nous avons quitté le Conseil, admit Assyléa. Mais je t'avoue que cela me met terriblement mal à l'aise vis-à-vis de ta mère.

— Moi aussi, confia Darkhan. Notre départ et le tien ont dû mettre Ambrethil dans une situation très inconfortable.

Pourtant Luna ne semblait éprouver aucun remords.

— Elle n'avait qu'à nous imiter ! Si elle peut supporter que de telles inepties soient proférées au Conseil, c'est son problème. Maintenant, je suis assez grande pour exercer mon propre jugement et je ne compte pas retourner là-bas pour faire amende honorable.

— Je comprends, fit Assyléa.

Mais Luna ne s'apaisa pas pour autant.

— Moi, ce que je ne comprends pas, c'est pourquoi Kendhal n'est pas intervenu, bigre-vert ! Il aurait dû remettre Bromyr à sa place et lui clouer le bec une bonne fois pour toutes. C'est lui, le roi, non ?

— Justement, fit Darkhan. Sa situation était très délicate. S'il avait été là en tant que simple observateur, je gage qu'il aurait pris la défense des drows. Mais, dans ce cas précis, s'opposer à son général, c'était le désavouer publiquement. Bromyr était le bras droit d'Hysparion et, par respect pour son défunt père, Kendhal a préféré se taire.

— Hum ! pour moi, c'est de la lâcheté, insista Luna.

— Non, cela s'appelle de la diplomatie, la corrigea Assyléa d'une voix douce. Il ne faut pas en vouloir à Kendhal. Il n'avait pas vraiment le choix. Et j'imagine que ton départ précipité a dû le troubler bien plus que tu ne le penses.

— Le troubler ? Tu parles ! Hier soir il ne m'a presque pas adressé la parole. On aurait même dit qu'il cherchait à m'éviter. Je doute qu'après cet incident il me considère encore comme son amie. De toute façon, vu son attitude, il n'est plus question que je lui adresse la parole.

Darkhan échangea un sourire entendu avec Assyléa et entoura d'un bras ferme les épaules de sa jeune cousine pour l'entraîner vers la porte principale.

— Que dirais-tu d'une petite promenade au bord du lac ?

— Merci, mais je n'ai pas vraiment envie de…

— Nous allons à Eilis discuter de tout cela avec Edryss, ajouta Assyléa. Tu nous accompagnes ?

La mauvaise humeur de Luna s'envola d'un coup. Elle s'arrêta, interloquée.

— Quand tu dis aller à Eilis, tu veux dire… entrer dans la ville ?

— Bien sûr ! On ne va pas rester sur le pas de la porte, tout de même ! plaisanta Darkhan.

L'adolescente esquissa un léger sourire mais, intérieurement, elle jubilait.

Eilis, la cité d'Eilistraée, avait été aménagée sur la rive est du lac. On la disait creusée à même la roche et en partie souterraine. Luna avait déjà eu l'occasion de faire un petit détour par là pour admirer les grandes portes sculptées qui protégeaient la cité drow. L'aura de mystère qui entourait la ville exacerbait sa curiosité, mais jamais elle n'aurait osé demander à Assyléa, et encore moins à Edryss, la permission d'entrer. Elle attendait d'y être invitée. Et voilà que, au moment où elle s'y attendait le moins, l'occasion se présentait. Elle retint son souffle et suivit Darkhan et Assyléa, le cœur battant.

Les trois amis longèrent en silence les berges sauvages du lac dont les eaux claires brillaient sous les rayons du soleil. Les roseaux bruissaient doucement sous la caresse de la brise. La brume matinale s'était dissipée, dévoilant un ciel d'un bleu limpide. La journée s'annonçait belle.

— Dites, s'étonna Luna, c'est bizarre qu'on n'ait pas rattrapé Edryss et Platzeck. Ils ont quitté la salle du conseil à peine deux minutes avant vous. Il me semble qu'on aurait dû les retrouver en chemin !

— Pas forcément, expliqua Darkhan. Certains drows possèdent l'étonnante faculté de se déplacer extrêmement vite. Platzeck excelle dans ce domaine. Quant à Edryss, elle se débrouille pas mal non plus. Je suppose que, lorsque Assy et moi sommes sortis de la salle, ils étaient déjà chez eux.

— Waouh ! s'extasia Luna. C'est pour ça qu'hier soir Platzeck a semblé surgir de nulle part pour récupérer la figurine des drows et que, à peine dix secondes plus tard, pouf ! il a disparu aussi vite qu'il était venu.

— J'aurais adoré avoir ce genre de talent, fit Assyléa, songeuse.

— Ah non, alors ! s'objecta Darkhan en souriant. Je n'aurais jamais réussi à te suivre. Je préfère cent fois ton pouvoir de séduction.

Il assortit sa remarque d'un clin d'œil qui fit rougir sa jeune épouse. Mais Luna, qui n'avait pas remarqué leur complicité, continua :

— N'empêche, il est bizarre, ce Platzeck. Vous le connaissez bien ?

— Pas trop, confessa Assyléa. Il est assez discret.

— En effet, ajouta Darkhan, mais si Edryss l'a choisi pour remplacer mon père, nous pouvons être sûrs qu'il possède les qualités requises pour siéger au Conseil de l'Union elfique.

— Tiens, à propos de Sarkor, sais-tu exactement pourquoi il est parti ? Maman ne veut…

Mais Darkhan ne la laissa pas poursuivre.

— C'est par là, Luna, dit-il en obliquant vers la gauche.

Il prit les devants, s'enfonça dans les fougères et suivit le sentier à peine marqué qui menait vers la cité drow. Luna comprit que son cousin avait délibérément refusé de lui répondre, mais elle jugea inutile d'insister pour le moment. Un jour ou l'autre, elle finirait bien par découvrir le fin mot de l'histoire.

Lorsque, après cinq minutes de marche sous le couvert des arbres, elle aperçut la falaise, elle s'immobilisa, une fois encore saisie par la beauté sereine qui émanait de cet endroit.

— Impressionnant, n'est-ce pas ? fit Darkhan, admiratif.

Luna approuva d'un hochement de la tête.

Au centre de la roche recouverte de lierre, les deux battants d'une remarquable porte en argent massif scintillaient doucement. L'un représentait la lune, ronde et généreuse, l'autre, la silhouette gracile de la déesse en pleine danse.

Assyléa posa sa main droite sur le symbole d'Eilistraée et ferma les yeux. Aussitôt, les vantaux glissèrent dans un chuintement et elle fit signe à Luna de la suivre.

— Tu es sûre que j'ai le droit d'entrer ici? chuchota l'adolescente, intimidée.

— Évidemment! la rassura Darkhan. La ville est ouverte à tous ceux qui ont le cœur pur.

Mais Luna ne l'écoutait déjà plus, complètement accaparée par le spectacle qui s'offrait à ses sens. Outre l'envoûtante mélodie qui flottait dans l'air, sur le sol et les murs du vestibule couraient une infinité de taches multicolores. Elle se retourna, surprise, et découvrit les milliers de vitraux qui, cachés derrière le lierre, filtraient la lumière du jour. Les feuilles bercées par la brise légère provoquaient cette impression de mouvements ondulants qui faisaient danser les couleurs acidulées.

Luna fit quelques pas, émerveillée, et nota que le hall, de taille relativement modeste, ressemblait plus à l'entrée d'un palais qu'à celui d'une ville. En tout cas, la lumineuse Eilis se trouvait aux antipodes de la noire Rhasgarrok.

En avisant le couple princier, trois drows qui jouaient aux cartes, assis à une table, se levèrent pour les saluer avec respect. Assyléa leur sourit avant de leur demander si Edryss était là-haut. L'un des guerriers acquiesça et elle se dirigea sans attendre vers un étroit escalier taillé dans la roche. Une fois sur le palier, elle frappa deux coups brefs et attendit.

— Oui ! fit une voix féminine de l'autre côté de la porte en chêne verni.

Assyléa passa sa tête dans l'entrebâillement.

— Darkhan et Luna sont avec moi. Nous pouvons entrer ?

— Bien sûr, entrez, entrez donc ! s'exclama Edryss, aussi surprise que ravie. Je suis étonnée de vous voir déjà là.

— Nous avons quitté le Conseil avant la fin, expliqua Darkhan. Par solidarité.

Edryss hocha gravement la tête avant de se tourner vers Luna.

— Princesse, c'est très courageux de ta part d'avoir pris position en notre faveur. Cette marque de confiance me fait chaud au cœur. Sois la bienvenue à Eilis.

— Merci, Edryss. Je suis heureuse de découvrir votre cité, même si j'avoue que j'aurais préféré le faire en d'autres circonstances.

— C'est certain, lâcha la prêtresse. L'heure est grave, mes amis, et je pressens que ce n'est que le début. Mais asseyez-vous, je vous en prie, nous serons plus à l'aise pour discuter.

Luna fit quelques pas dans le salon, abasourdie par la beauté de l'endroit. L'appartement d'Edryss mélangeait avec naturel luxe et simplicité. Simplicité des matières telles que la pierre, le bois et le verre. Luxe des formes, des arabesques et des motifs sculptés. Le talent des artisans drows était indéniable. Qu'il s'agît des colonnes de granit ciselées comme de la dentelle, des fenêtres en ogive aux vitraux imitant des fleurs exubérantes de couleurs, l'ensemble était tout simplement ahurissant.

Avisant les fauteuils damassés de soie, Luna y prit place et fut aussitôt imitée par Darkhan et Assyléa. Edryss s'assit sur le canapé de l'autre côté d'une table basse.

— Le vol de votre talisman est une véritable tragédie, reprit-elle. J'ignorais qu'il abritait l'esprit de Ravenstein et maintenant, à cause de moi, toute la forêt est en danger. Je me sens tellement fautive.

— Mais enfin, vous n'y êtes pour rien, s'écria Luna.

— Oublies-tu que c'est moi qui ai proposé à mes homologues d'exposer nos trésors sacrés aux yeux de tous ? Certains étaient très réticents et j'ai dû insister pour qu'ils acceptent.

En fait, je trouvais que l'idée de Platzeck était vraiment géniale. Elle nous offrait la possibilité de nous donner une belle preuve de confiance mutuelle.

— Parce que c'était son idée à lui ? s'étonna Assyléa.

— Oui, c'était mon idée, déclara Platzeck en surgissant de derrière une colonne. Et alors ? Est-ce que cela fait de moi un coupable ?

L'irruption du jeune sorcier prit au dépourvu les trois invités qui ignoraient sa présence. Leurs regards convergèrent aussitôt vers lui. La fureur déformait ses traits.

— Coupable d'avoir eu une idée de génie, oui ! Maintenant, à cause de moi, c'est toute notre communauté qui est mise au banc des accusés. Ce qui s'est passé dans la salle du conseil est très révélateur. Pour les autres elfes, les drows ne sont que des traîtres, des coupables, des criminels ! On ne change pas sa vraie nature, n'est-ce pas ! La couleur de notre peau nous désigne par avance comme responsables de toutes les tragédies qui…

— Assez, Platzeck ! le coupa Edryss, visiblement excédée.

Un silence glacial retomba dans le salon.

— Je comprends ta colère, Platzeck, le tempéra Darkhan. Mais tu n'as pas à t'en vouloir. Ton idée était excellente. Bromyr et

Thyl ont parlé bêtement sans réfléchir aux conséquences de leurs paroles. Mais je suis certain que, lorsque nous sommes partis, Kendhal et Ambrethil ont essayé de relativiser les choses.

— Ça, ça m'étonnerait bien ! cracha Platzeck dont les yeux jetaient à présent des éclairs. Kendhal est trop lâche pour contredire son général. Quant à Ambrethil, elle ne prendra jamais ouvertement parti pour nous.

— C'est normal, enfin ! riposta Edryss. À sa place j'aurais fait la même chose. Si elle avait pris notre défense, elle se serait mise à dos les elfes dorés et ailés et cela n'aurait fait qu'aggraver les choses. Le conflit aurait sans doute dégénéré. Il fallait qu'elle reste neutre.

Mais les propos de la prêtresse ne calmèrent pas son bras droit.

— Neutre, neutre, c'est vite dit ! Regarde, elle envoie sa fille jouer les espionnes.

Tout le monde sursauta.

— Platzeck ! De quel droit oses-tu insulter mon invitée ? s'indigna Edryss en se levant.

— Après ce qui s'est passé, c'est chacun pour soi ! explosa Platzeck. Ambrethil ne nous a pas défendus : aucun elfe de lune ne devrait plus être admis ici !

Darkhan ne put en supporter davantage. Il bondit dans la direction du sorcier.

— Platzeck, en t'attaquant à Luna, c'est à moi que tu t'attaques. Je…

Mais Luna s'interposa entre les deux hommes, les joues en feu.

— Laisse, Darkhan, je suis capable de me défendre toute seule. Sachez, Platzeck, que nos quatre cités devraient pouvoir accueillir tous les elfes sans distinction de couleur de peau. Ambrethil vous a toujours accueillis à Laltharils à bras ouverts, que je sache ! En outre, ma présence en ces murs est tout à fait légitime. Moi aussi j'ai du sang drow dans les veines. Figurez-vous que mon père était un mage noir très puissant. Et même si cela ne se voit pas, je suis une sang-mêlé, comme mon cousin. N'imitez pas Bromyr et Thyl en cédant trop vite à vos préjugés.

L'elfe noir se raidit. Sa mâchoire se contracta, mais, trop humilié, il ne trouva rien à rétorquer.

— Maintenant que cette mise au point est faite, déclara Luna avec calme, nous allons peut-être pouvoir discuter de ce qu'il convient de faire.

Edryss se planta devant son conseiller.

— Platzeck, ton attitude irrévérencieuse envers Luna me déçoit. Tu me sembles bien trop en colère pour réfléchir raisonnablement. Va faire un tour. Ça te calmera et t'aidera sans doute à y voir plus clair. Reviens me voir lorsque ton ressentiment sera retombé.

Le jeune drow la toisa avec fureur. Il serra les poings, mais obéit sans protester.

Lorsque la porte claqua derrière lui, Edryss retourna s'asseoir en soupirant. Elle semblait soudain très lasse.

— Veuillez l'excuser. Platzeck n'a pas digéré les insinuations de Bromyr. Il pensait que depuis le temps les autres elfes nous considéraient enfin comme faisant partie intégrante de leur communauté. Il s'est rendu compte que ce n'était pas le cas. Qu'on nous accuse d'abriter un traître l'a vraiment blessé.

— C'est compréhensible, intervint Luna. Moi aussi j'ai été effarée de constater que sous leurs sourires de façade certaines personnes nourrissent encore autant de haine à l'encontre des elfes noirs. C'est tout de même désolant qu'au moindre incident ce soit vous qu'on accuse, alors que, si cela se trouve, le coupable est un elfe argenté qui convoitait depuis longtemps l'esprit de Ravenstein.

— Je ne crois pas, non… murmura Edryss en soutenant le regard clair de la princesse.

— Comment ça ? balbutia-t-elle.

La prêtresse prit une grande inspiration, comme si elle s'apprêtait à dire quelque chose d'important.

— Ce que je vais vous confesser va sans doute vous surprendre et je sais que cela n'aurait fait qu'exacerber la fureur de Platzeck. C'est pour cette raison que je lui ai demandé d'aller se calmer. Mais, au fond, je pense que Bromyr et Thyl ont raison.

Luna, Darkhan et Assyléa lâchèrent un cri de surprise. Mais Edryss n'avait pas terminé.

— Au moment même où Ambrethil nous a appris que votre talisman avait été dérobé, j'ai soupçonné l'un des miens. Les accusations de Bromyr et de Thyl m'ont donc semblé tout à fait légitimes. Si j'ai quitté le Conseil, ce n'était ni par colère ni parce que j'étais outrée, mais bien parce que j'avais terriblement honte. Honte qu'un elfe noir se soit rendu coupable d'un tel forfait.

L'aveu d'Edryss laissa les trois amis muets de stupeur. Pétrifiés, les yeux écarquillés, ils ne savaient plus comment réagir. Que la prêtresse accuse elle-même l'un des siens d'avoir dérobé le talisman des elfes de lune était la chose la plus déconcertante qu'ils aient jamais entendue.

— Comment peux-tu affirmer une chose pareille ? l'interrogea finalement Darkhan.

— Tes soupçons se portent-ils sur quelqu'un de précis ? enchaîna Assyléa.

Edryss haussa les épaules.

— Je ne soupçonne personne en particulier. Mais je suis lucide et je n'ai pas pour habitude de me voiler la face. Celui qui a volé la relique tient entre ses mains le sort de cette forêt et par conséquent celui de toute notre communauté. Or, qui d'autre qu'un drow malfaisant pourrait souhaiter l'anéantissement de Ravenstein ?

La prêtresse aux yeux d'ambre paraissait tellement malheureuse que Luna se permit d'insister :

— Pourtant, vous disiez que Sarkor et vous-même aviez confiance en chacun de vos amis. Vous les connaissez tous. Ils ont prêté serment en reniant Lloth. Ils ont quitté leur ville natale pour trouver un endroit meilleur d'où toute violence serait à jamais bannie. Ils n'aspirent qu'à vivre en paix et en harmonie.

— En apparence, ils se comportent tous comme de bons drows, mais qui sait ce qui se cache au plus profond de leur âme ? Qui sait si la maléfique déesse araignée n'a pas laissé des traces indélébiles dans leur cœur ? En découvrant l'écorce de Ravenstein, leur instinct se sera peut-être réveillé...

Effrayée, Assyléa cacha son visage entre ses mains. Ne sachant quoi ajouter, Darkhan lui caressa doucement le dos pour lui assurer son soutien.

— Moi, j'ai peut-être une idée, fit soudain Luna, les yeux pétillants de malice.

Toutes les têtes se tournèrent vers elle.

— Darkhan, je t'ai dit que parfois Hérildur m'apparaissait la nuit en songe. En fait, lorsqu'il est mort, l'esprit de Ravenstein lui a proposé une alliance. Au lieu de rejoindre les anges du royaume des dieux, l'esprit d'Hérildur s'est uni à celui de Ravenstein. Désormais ce sont leurs deux esprits, liés par une ancienne magie, qui veillent conjointement sur notre forêt.

— Tout n'est peut-être pas encore perdu, alors, réalisa Assyléa en retenant son souffle.

Même Edryss semblait avoir retrouvé espoir.

— Dites-moi si je me trompe, mais cela signifie que, si le voleur détruit le talisman, notre forêt sera toujours protégée par l'esprit d'Hérildur ?

Darkhan était loin de partager leur enthousiasme :

— Je ne voudrais pas être pessimiste, mais, si les deux esprits sont très étroitement liés l'un à l'autre, il se peut que celui d'Hérildur ne résiste pas à la disparition de celui de Ravenstein. Si le voleur détruit le talisman, nous perdrons Ravenstein et Hérildur.

— Attends, attends, ne dramatise pas tout ! reprit Luna en se levant prestement. Il faut que j'en aie le cœur net. Edryss, vous n'auriez pas un somnifère ? Quelque chose d'assez puissant pour m'endormir rapidement ? Il faut absolument que j'entre en contact avec grand-père. Lui sait exactement ce qui s'est passé. Il pourra nous aider, j'en suis certaine.

# 6

Un rouleau de parchemin dans les mains, Ylaïs s'immobilisa devant les doubles portes de la salle du trône du monastère et prit une grande inspiration. Un filet de sueur glacée glissa entre ses omoplates quand les portes s'ouvrirent devant elle.

La salle était plongée dans la pénombre. Les contours de la pièce, noyés dans un linceul d'obscurité, étaient invisibles. Seul le trône, à une vingtaine de mètres, nimbé d'une lumière blafarde, mettait en valeur la fine silhouette de matrone Sylnor.

— Entre ! ordonna une voix jeune, mais autoritaire, dans la tête de la prêtresse.

En s'avançant vers la lumière, Ylaïs détailla les traits de la maîtresse du monastère. Son visage tout juste sorti de l'enfance avait pourtant la gravité de celui d'une matriarche aguerrie. La marque de la déesse, presque incandescente sur sa joue, n'était pas parvenue à altérer son insolente beauté. Malgré sa jeunesse, matrone Sylnor irradiait une détermination sans faille.

Lorsque Ylaïs fut à trois mètres du trône d'obsidienne, elle baissa les yeux et se prosterna dans une attitude pleine d'humilité.

— M'apportes-tu la composition de ton équipe ? demanda matrone Sylnor.

— Oui, maîtresse, déclara fièrement la prêtresse en se relevant aussitôt pour tendre le parchemin qu'elle tenait. J'ai choisi celles qui me semblaient les plus fidèles et les plus prometteuses, car je suis certaine que...

— Garde ton baratin ! riposta l'autre, glaciale. Peu m'importent tes critères de sélection, seule compte ton efficacité. Si tu échoues, toutes mourront par ta faute.

Ylaïs se raidit. Assise sur son trône, matrone Sylnor la scrutait, impassible et immobile. La prêtresse eut la désagréable impression que la matriarche était en train de sonder son esprit, passant en revue chacune de ses pensées. Elle se mit à trembler, mais n'opposa aucune résistance ; elle préféra se laisser faire avec docilité, ce que matrone Sylnor sembla apprécier puisqu'elle mit rapidement un terme à son intrusion mentale pour reprendre, d'une voix adoucie :

— Tu as pris un gros risque, il y a deux jours, en introduisant une étrangère dans l'enceinte du monastère contre ma volonté. Inutile de te rappeler que j'avais expressément stipulé que personne ne devait franchir le portail sans mon consentement. Ton geste audacieux aurait pu te conduire droit à l'autel sacrificiel. Tu en as conscience ?

La prêtresse hocha la tête, repentante.

— Néanmoins, je dois admettre que tu as pris une bonne initiative. Sans toi, nous serions passées à côté d'une information capitale. Figure-toi que j'ai fait des recherches sur cet étrange scorpion que tu as trouvé autour du cou de la sentinelle. Il s'agit d'un ancien dieu drow, tombé depuis longtemps dans l'oubli. Il s'appelait Naak et était vénéré essentiellement par la gent masculine. Je crois qu'en massacrant l'une de nos unités et en nous envoyant l'unique survivante de la troupe, les adeptes de Naak nous ont lancé un défi. Pas besoin de mots ni d'explications, un simple talisman à l'effigie de leur dieu a suffi à passer le message.

— Ils pensaient sans doute nous impressionner en mutilant la guerrière de la sorte, ajouta Ylaïs.

— Les imbéciles ! railla matrone Sylnor. S'ils savaient ce que nous faisons subir à nos prisonniers, ils comprendraient que leur ridicule tentative d'intimidation nous a laissées de marbre. Toutefois, je compte rapidement leur régler leur compte avant qu'ils ne deviennent réellement dangereux. Savais-tu qu'il y avait fort longtemps le dieu scorpion disputait la suprématie à notre déesse araignée ? Dieu de la guerre, adoré par les milliers de guerriers drows, il rêvait d'exterminer les prêtresses de Lloth. Mais l'histoire en a décidé autrement. Notre supériorité a eu raison de sa force. Ses adeptes ont tous fini décapités et brûlés. C'était bien avant les premières guerres elfiques, mais il semblerait que le dieu vaincu soit de retour et cherche à prendre sa revanche.

— À votre place, je ne m'inquiéterais pas trop. Il s'agit sûrement d'une poignée d'adeptes isolés que nous n'aurons aucun mal à éliminer.

— Je l'espère pour toi, rétorqua l'adolescente avec un sourire mauvais.

— Co… comment ça ? balbutia l'autre en pâlissant.

— C'est toi qui vas démanteler cette secte. Tu vas mener une enquête, trouver où se cachent ces renégats et procéder à leur arrestation, afin qu'ils soient torturés et mis à mort publiquement dans les grandes arènes. Je profiterai de l'occasion pour faire ma première apparition officielle. Je pense qu'il est temps que les habitants de Rhasgarrok découvrent enfin leur nouvelle matriarche. De plus, de commencer mon règne par un spectacle aussi édifiant coupera court à toute autre velléité de rébellion.

Matrone Sylnor marqua un temps d'arrêt pour observer la réaction d'Ylaïs avant d'ajouter :

— Tu comprendras aisément que cette mission est de la plus haute importance. Si tu la mènes à bien, en plus de sauver la vie des recrues que tu as sélectionnées, tu seras gratifiée d'une promotion inestimable. J'ai en effet besoin de nommer au plus vite une première prêtresse sur laquelle je pourrai compter, une drow de ta trempe, à la fois forte et soumise, implacable avec ses ennemis et prête à donner sa vie pour moi.

Ylaïs s'inclina avec respect.

— C'est avec fierté que j'accepte cette mission. Je ne vous décevrai pas.

— Je n'en attendais pas moins de toi, Ylaïs. Sache que je vais également confier à Caldwen et Thémys deux autres missions délicates. La première de vous trois qui remplira son contrat prendra ses nouvelles fonctions sur-le-champ. Les deux autres et leurs protégées seront sacrifiées.

— Je serai la première, assura Ylaïs en soutenant l'intensité du regard de sa supérieure.

— Je l'espère, car ce que j'ai lu dans ton esprit m'a agréablement surprise. Tu sembles digne de confiance, Ylaïs. Trouve ces rebelles qu'on en finisse au plus vite !

La jeune prêtresse acquiesça en silence et se prosterna une dernière fois avant de quitter la salle. Ce ne fut qu'une fois à l'extérieur qu'elle s'autorisa un sourire de satisfaction.

Première prêtresse ! Le poste qu'elle briguait depuis des mois et des mois était enfin à portée de main. Démanteler cette secte ne devrait pas s'avérer si compliqué. Même s'il était aisé de se cacher dans la tentaculaire Rhasgarrok, les impies n'échapperaient pas longtemps à sa traque. Ylaïs savait déjà comment elle allait s'y prendre. En général, les langues se déliaient facilement devant une bourse bien remplie. Dans la cité des profondeurs, même les secrets les mieux gardés ne résistaient guère longtemps à l'or…

En fin de compte, Ylaïs, qui avait tout d'abord été outrée par l'intronisation secrète de Sylnor, alors qu'elle ne voyait en elle qu'une gamine exaspérante, qu'une lèche-bottes à l'ascension fulgurante, avait fini par comprendre que le choix de Lloth ne se discutait pas. Accepter l'élue de la déesse, c'était sauver sa peau et s'assurer une possible promotion. Par ailleurs, Sylnor semblait posséder de réelles aptitudes pour le commandement. Redoutablement intelligente, aussi déterminée qu'impitoyable, elle avait les qualités requises pour devenir une matriarche exceptionnelle. Finalement, son jeune âge ne serait pas un handicap, au contraire. Quoi de plus terrifiant qu'une enfant sans pitié, conditionnée pour tuer sans éprouver l'ombre d'un remords !

La jeune prêtresse se faufila dans les sombres couloirs du monastère pour regagner au plus vite ses appartements. Si elle voulait devenir la première prêtresse, elle n'avait plus une minute à perdre. Ylaïs savait déjà par où amorcer son enquête, mais avant il fallait absolument qu'elle ait une conversation avec ses clercs. Elle avait un petit service à leur demander. Même si elle ignorait encore en quoi consistaient les missions de ses deux concurrentes, il fallait absolument que Caldwen et Thémys échouent. Espionnage, sabotage, et pire si besoin était, tous les coups seraient permis pour être la première à réussir sa quête.

Ce fut l'esprit léger et le pas alerte qu'Ylaïs quitta le monastère de Lloth en fin de matinée. Enveloppée dans une mante noire, elle s'évapora dans les ruelles obscures de la cité souterraine. Elle aurait, bien sûr, pu choisir de se faire escorter pour assurer sa sécurité, mais elle tenait à passer inaperçue. Si les adorateurs d'un dieu oublié s'en prenaient aux membres du clergé de Lloth, inutile de se dévoiler comme telle. Ainsi vêtue de son manteau de nuit, Ylaïs se glissait dans la ville comme une ombre invisible.

Sans hésiter sur la route à prendre, elle se dirigea vers le nord. Il était urgent d'aller rendre une petite visite à la caserne qui abritait les unités d'élite de ce secteur.

Tout au long de son chemin, elle se mêla à la foule. Depuis le décès de matrone Zélathory et l'annonce de l'intronisation de matrone Sylnor, les portes du monastère étaient restées hermétiquement closes. Aucune nouvelle n'avait officiellement suinté d'un côté comme de l'autre. Il serait certainement fort instructif de découvrir ce qui se disait dehors. Alors qu'elle traversait les places et les carrefours, qu'elle longeait les galeries et les tunnels, qu'elle arpentait les marchés et les bazars, la prêtresse se mêla à différents groupes ethniques afin de récupérer un maximum d'informations. Ce qu'elle glana la terrifia.

Le nom de Sylnor était sur toutes les lèvres. Même si les habitants de Rhasgarrok n'avaient pas encore vu leur nouvelle matriarche et qu'ils étaient par conséquent censés ignorer son âge, le bruit courait déjà qu'elle était bien trop jeune pour diriger la cité. Des adjectifs comme incapable, incompétente, ridicule, absurde émaillaient les propos des plus virulents détracteurs de la grande prêtresse. Les habitants de Rhasgarrok ne semblaient pas craindre matrone Sylnor, contrairement aux sentiments qu'ils avaient éprouvés à l'égard de matrone Zesstra ou même de matrone Zélathory que personne n'aurait osé critiquer de peur de représailles sanglantes. On disait plutôt que c'était elle qui avait peur de son peuple et qu'elle se terrait au fond de son monastère pour éviter de se faire lyncher. Mais le pire, dans tout ce qu'entendit Ylaïs, ce fut que la cote de confiance de la déesse araignée était en train de chuter de manière inquiétante. Apparemment, certains drows n'accordaient plus foi dans les pouvoirs de Lloth. Nombreux étaient ceux qui doutaient de sa légitimité et s'interrogeaient sur sa véritable puissance.

Dans ce climat d'incertitude sociale et de remise en question spirituelle, il n'était pas étonnant que des groupes de rebelles en profitent pour tenter quelque démonstration de force. Ylaïs savait bien que, si leurs actes criminels restaient impunis, les renégats, forts de leurs exploits, chercheraient à s'en prendre directement au monastère. Or, un coup d'État dans la situation actuelle serait la pire chose qui pourrait survenir. Bien que retranchées derrière des murs épais, les prêtresses ne tiendraient pas longtemps sans alliés. Les grandes maisons de Rhasgarrok, pourtant fidèles à la déesse araignée, ne lèveraient pas le petit doigt pour les aider. Elles attendraient sagement que la curée soit terminée pour tenter de s'emparer du trône de Lloth. La société drow avait toujours fonctionné ainsi : chacun pour soi et que gagne le plus fort.

Ylaïs comprenait de mieux en mieux le véritable enjeu de sa mission. Démanteler la secte de Naak et sacrifier ses membres lors d'une grande cérémonie étaient les seuls moyens de rétablir l'autorité suprême de matrone Sylnor et de renforcer le culte de Lloth. C'était aussi la seule façon d'obtenir un poste prestigieux. Elle ne pouvait se permettre d'échouer.

En arrivant en vue de la caserne, austère bâtiment taillé à même la roche, la prêtresse était plus motivée et déterminée que jamais. Elle comptait rassembler les guerrières et les interroger, une par une si nécessaire, sur ce qui était réellement arrivé à leurs consœurs. Elle comptait également les avertir de la menace réelle qui planait sur elles. Après quoi elle se rendrait en personne dans les autres casernes de la ville pour diffuser l'ordre de redoubler de vigilance et d'attaquer sans pitié tout groupe armé qu'elles jugeraient suspect.

Minuscule face aux deux énormes battants de la monumentale porte d'entrée, Ylaïs prit une grande inspiration et frappa deux coups secs. Comme personne ne daignait lui répondre, elle renouvela son geste, mais la porte resta immobile. Agacée, la jeune femme poussa brutalement l'un des vantaux qui, à sa grande surprise, ne résista pas. Étonnée qu'on puisse ainsi s'introduire librement dans la caserne, elle pénétra néanmoins dans la cour intérieure du bâtiment.

Celle-ci était déserte et silencieuse. D'habitude, l'endroit grouillait de vie. Les troupes au repos qui n'arpentaient pas le quartier entraînaient les plus jeunes recrues, tandis que des guerrières affûtaient leurs armes ou réparaient leurs cottes de mailles. Il était improbable que toutes les unités soient sorties au même moment, laissant la caserne sans défense.

La prêtresse traversa la cour, hésitant entre indignation et anxiété, pour se diriger vers la salle de garde. La porte grinça sur ses gonds et Ylaïs rassembla ses forces mentales, prête à provoquer la foudre à l'encontre d'éventuels intrus.

Le spectacle qui l'attendait dans la vaste pièce balaya d'un coup sa colère. Submergée par le dégoût et la peur, la prêtresse resta prostrée plusieurs minutes, n'arrivant pas à déterminer ce qui était le pire, l'odeur insoutenable de décomposition qui émanait des corps éventrés, la vue des membres tranchés disposés en un tas obscène, ou bien les murs badigeonnés de lettres de sang qui résonnaient comme une odieuse menace. Le nom de Naak, répété à l'infini, ornait à présent les parois de la pièce, comme autant d'avertissements sanglants.

Pourtant, habituée aux spectacles macabres, Ylaïs récupéra vite ses esprits et n'hésita pas à s'aventurer parmi les cadavres en charpie. Le massacre avait été d'une violence effroyable. Les adorateurs du dieu scorpion avaient tué méthodiquement, avec une cruauté froide et implacable, exactement comme l'auraient fait des guerrières de Lloth. Et c'était certainement ça le plus inquiétant. Si la secte se comportait comme le clergé de la déesse araignée, il y avait fort à parier qu'elle n'allait pas s'arrêter en si bon chemin. Elle allait sûrement s'en prendre aux autres casernes de la ville, si ce n'était déjà fait, et anéantir progressivement toutes les unités d'élite du clergé. Une fois leurs crimes accomplis, les adorateurs du scorpion pourraient s'attaquer au monastère et s'emparer du pouvoir. Espéraient-ils remplacer le culte de Lloth par celui de Naak ? La puissante déesse allait-elle se laisser faire sans réagir ? Sans doute pas, mais au vu de cet effroyable carnage on pouvait se demander ce qu'elle attendait pour se manifester.

Ylaïs sentit une peur sourde l'envahir. L'envie de prendre ses jambes à son cou s'empara d'elle. Si le monastère devait tomber, ne valait-il pas mieux s'enfuir dès maintenant, renier la déesse et son passé de prêtresse, recommencer une nouvelle vie dans l'anonymat le plus total ?

Elle ferma les yeux pour empêcher des larmes de rage de brûler ses joues noires et quitta le bâtiment sans attendre.

# 7

Luna se réveilla en sursaut. Déboussolée, elle se redressa sur un coude et regarda autour d'elle. Ce qu'elle vit la terrifia. Son cœur se mit à tambouriner violemment dans sa poitrine et sa respiration devint saccadée. Les joues en feu, elle demeura paralysée. Elle se trouvait dans la yourte de Sohan.

Prise de panique, elle bondit hors du lit, mais un violent vertige la fit chanceler.

Tout lui revint brusquement à l'esprit: son idée d'absorber un somnifère pour pouvoir rencontrer son grand-père; les réticences de Darkhan; Edryss lui amenant finalement une fiole de belladone… Luna se souvenait parfaitement s'être allongée sur le lit de la prêtresse. Elle avait vite sombré dans l'inconscience et, maintenant, elle était en train de rêver.

Un peu rassérénée, elle fit quelques pas dans la grande tente circulaire en appelant à la cantonade:

— Grand-père! Grand-père, s'il te plaît, viens vite. Il faut absolument que je te parle!

L'adolescente savait qu'elle n'était pas vraiment dans le camp des buveurs de sang et qu'elle ne risquait rien. Pourtant, lorsque Sohan pénétra dans la yourte, une peur indicible s'empara d'elle. Instinctivement, elle recula, effrayée par le sourire carnassier qu'arborait le jeune homme.

— Ah! ma toute belle, je te manquais? susurra-t-il, en s'avançant vers elle, les yeux incandescents.

— Tu n'es pas réel! hurla Luna en se plantant devant son adversaire. Tu n'es que le fruit de mon imagination!

— Oh, ma douce, laisse-moi te prouver le contraire…

— Certainement pas! C'est mon rêve et je peux le maîtriser.

— Non, mon trésor, tu es sous mon emprise, désormais, et tu ne peux rien contre…

Le terrible coup de poing qu'il reçut en pleine mâchoire l'empêcha de terminer sa phrase. Le vampire tituba en ouvrant de grands yeux surpris. Mais Luna, forte de cette première victoire, ne comptait pas en rester là. Elle lui asséna un violent coup de pied dans les côtes qui le fit basculer à terre.

— Même si je rêve, cela me soulage de me défouler sur toi. Tiens, prends ça ! fit-elle en le frappant à nouveau. C'est pour tout le mal que tu m'as fait de ton vivant.

Comme le buveur de sang, recroquevillé sur lui-même, gémissait comme un chiot et ne cherchait même pas à se défendre, Luna cessa de le harceler et l'abandonna là. Elle quitta la yourte en continuant d'appeler :

— Grand-père ! Je t'en supplie, dépêche-toi d'apparaître.

Si dehors Luna s'attendait à recevoir la brise glaciale de la steppe de Naugolie, elle fut extrêmement étonnée de se retrouver au beau milieu d'une ruelle déserte. Les pavés crasseux, l'odeur d'urine, cette atmosphère confinée et la lumière vacillante des braseros firent affluer dans son esprit d'anciens souvenirs.

— Non, c'est impossible, murmura-t-elle, abasourdie. On dirait… on dirait Rhasgar-rok !

Elle se mit à marcher, hésitante, tout en prenant soin d'éviter les flaques putrides. L'endroit lui était étrangement familier. Elle avait dû passer par là, avec Darkhan. Mais cela lui semblait tellement loin, maintenant. C'était comme une autre vie.

Soudain, au détour d'une maison délabrée, une apparition qu'elle croyait avoir oubliée la paralysa.

— Tiens, quelle surprise ! s'écria une splendide guerrière drow. Ne serait-ce pas là ma jeune meurtrière ?

— Oloraé ! devina Luna, devenue blanche comme un linge.

— Tu te souviens de moi, hein ? Mais c'est normal, on se souvient toujours de sa première victime. Je suis curieuse de savoir combien de personnes tu as assassinées après moi.

« Ce n'est qu'un rêve, se répéta mentalement Luna en serrant les poings. Ne lui réponds pas, n'entre pas dans son jeu. »

Mais Oloraé dégaina deux immenses cimeterres qui se mirent à flamboyer comme des torches.

— Si tu ne te montres pas plus coopérative, je vais devenir méchante, très méchante.

— Tu n'es qu'un fantôme, éructa Luna. Tu ne peux pas me faire de mal. Par contre, moi, je peux t'en faire.

— Ah, j'aimerais bien voir ça, la défia la guerrière, sûre d'elle, en faisant tournoyer ses armes au-dessus de sa tête. Dans ce monde, tes talents de sorcière ne te servent à rien.

Luna se raidit. Est-ce que Oloraé bluffait ? Elle voulut faire appel à sa force mentale, mais l'autre pointait déjà ses cimeterres dans sa direction. Si les lames la touchaient, ressentirait-elle la douleur ? Souffrait-on réellement dans le monde des rêves ?

Prise de panique, elle eut une idée.

— Attends ! cria-t-elle en reculant contre le mur d'une échoppe. Avant que tu ne me tues, il faut absolument que je te raconte une histoire. Je sais qu'elle va te plaire.

L'autre s'immobilisa, intriguée, et abaissa ses armes.

— Eh bien vas-y ! je t'écoute.

— Il était une fois une grande sœur indigne qui avait confié sa cadette au cruel clergé de Lloth en échange d'une arène privée. Pendant que l'aînée s'amusait et s'enrichissait, la petite grandissait dans la souffrance, mais jamais la perversion de la déesse ne parvint à corrompre son cœur pur. Dès qu'elle en eut l'occasion, elle s'échappa de la cité maudite.

— Assyléa ? souffla Oloraé, livide.

— Exactement ! Sache que ta sœur vit aujourd'hui à Laltharils, qu'elle est devenue ma meilleure amie et qu'elle vient d'épouser Darkhan. Tu sais, ton ancien prisonnier, celui qui a provoqué ta ruine. Ils forment un merveilleux couple, tu sais !

Le beau visage d'Oloraé se crispa de douleur. La guerrière poussa un hurlement de désespoir en lâchant ses armes. Elle tomba à genoux et commença à gémir, tout en s'arrachant les cheveux par mèches entières. Luna la toisa avec mépris et s'empressa de détaler en direction du *Soleil Noir*, l'ancienne auberge d'Edryss, sans doute le seul endroit accueillant de la ville souterraine.

L'adolescente n'eut pas à courir longtemps. L'auberge se trouvait deux rues plus loin. Elle poussa sans hésiter la porte, mais le sinistre décor qui l'attendait derrière stoppa net son élan.

Cet endroit ne lui était pas inconnu. Elle se souvenait d'y être allée, certes, mais elle ne parvenait pas à identifier le lieu avec certitude. On aurait dit une sorte de cave, vaste et poussiéreuse, à moitié plongée dans les ténèbres. L'air était frais et sec, le silence total.

Non, pas aussi total que cela… Une sorte de souffle lointain, comme une respiration lente et profonde, lui parvenait faiblement. Un frisson glacé parcourut la jeune elfe.

— Non, n'aie pas peur, se dit-elle à haute voix pour se rassurer. Ne cède pas à la panique. Ce n'est qu'un rêve. Un rêve que tu peux maîtriser. Il te suffit de le vouloir vraiment et tu…

— Comme c'est gentil à toi de me rendre une petite visite *post-mortem* ! gronda une voix rauque dans son dos. Nous n'avons guère eu le temps de faire connaissance, mais je suis certain que tu regrettes ton geste. Oui, c'est cela, tu es bourrée de remords et tu viens t'excuser de m'avoir décapité, n'est-ce pas !

Luna avait beau chercher dans sa mémoire, elle ne voyait pas qui l'accusait d'un tel crime. Jamais elle n'avait décapité quelqu'un de sa vie.

— Est-ce que Lucanor t'a félicitée de m'avoir assassiné ? reprit la voix.

Luna comprit. Elle se trouvait dans la forteresse de Naak'Mur avec sire Ycar, le lycanthrope !

— Je ne vous ai pas assassiné ! s'écria-t-elle en faisant volte-face. Vous vous apprêtiez à tuer votre frère et, en faisant tomber ce lustre sur votre tête, je lui ai sauvé la vie. Mais je ne suis pas venue ici pour me justifier ni pour discuter avec vous. Je cherche mon grand-père, c'est tout.

Un rire tonitruant, mais dépourvu de toute gaîté, lui glaça les os.

— Ton grand-père, hein ? Mais, cela fait longtemps que je l'ai mangé.

— Vous dites n'importe quoi ! Hérildur est mort, comme vous.

— C'est bien ce que je dis, reprit le loup-garou. J'ai dévoré son esprit.

— Vous délirez complètement, gronda Luna, excédée. Vous dites cela uniquement pour me blesser. Mais vos mensonges ne m'atteignent pas. À partir de maintenant, je vais vous ignorer...

Luna ferma les yeux et se boucha les oreilles avec les mains, bien décidée à se concentrer. Il fallait qu'elle visualise l'endroit où elle avait rencontré son grand-père pour la dernière fois. Où était-ce, déjà ? Dans une jolie clairière ? Oui. C'était toujours dans un endroit bucolique et paisible que son aïeul lui apparaissait. Elle n'avait qu'à forcer un peu les choses et s'imaginer au beau milieu d'une prairie en fleurs. Cela ne devait pas être bien compliqué.

Elle plissa les paupières, serra les dents et imposa à son esprit une vision printanière, d'abord un pré d'herbe grasse et chaude, puis des jonquilles fraîchement écloses, et enfin des arbres aux feuilles caressées par la brise dans lesquels gazouillaient quelques oiseaux.

Lorsque l'adolescente rouvrit les yeux, le lycanthrope et son sinistre donjon avaient disparu. À la place, le décor idyllique qu'elle avait imaginé s'étendait à perte de vue. Finalement, les rêves, lorsqu'on parvenait à les maîtriser, avaient tout de même de bons côtés !

— Grand-père, s'écria à nouveau Luna, viens vite ! J'ai besoin de toi ! C'est urgent !

Elle se mit à courir à travers la prairie en continuant à s'époumoner. Elle sillonna l'endroit pendant un temps qui lui sembla infini. Mais Hérildur ne semblait pas entendre ses suppliques désespérées. Elle finit par s'effondrer dans l'herbe, les yeux baignés de larmes.

« Et si Darkhan avait raison... sanglota-t-elle. Peut-être que grand-père n'apparaît pas parce que le talisman a été détruit et que l'esprit de Ravenstein a disparu à jamais... Et, comme ils sont liés, grand-père a disparu également et il ne m'apparaîtra plus jamais... Oh, non ! »

Ce fut à ce moment-là que Luna se réveilla pour de bon, dans le grand lit d'Edryss. Elle ignorait combien de temps elle avait dormi, mais elle remarqua avec étonnement que le soleil était déjà couché et qu'il faisait nuit noire.

Elle repoussa les couvertures et s'assit sur le rebord du lit pour enfiler ses bottes. Mais, dans l'obscurité, impossible de remettre la main dessus. Agacée, elle abandonna sa recherche et se leva sans faire de bruit pour se diriger vers la porte.

L'adolescente eut soudain la curieuse impression que quelque chose clochait. Elle savait qu'un détail, pourtant essentiel, lui échappait. Mais impossible de savoir quoi.

Les bras tendus en avant, elle tâtonna quelques instants dans le vide, espérant trouver un mur qui lui indiquerait où se trouvait la sortie. Au bout d'un moment, elle s'arrêta, perplexe. La chambre d'Edryss était-elle à ce point immense qu'elle paraissait ne pas avoir de limites ?

Luna comprit ce qui n'allait pas et déglutit péniblement. Malgré sa nyctalopie, elle n'y voyait rien du tout. L'obscurité était complète.

L'adolescente se rappela avec effroi le palais de Lloth où elle avait déjà vécu pareille situation et elle s'effondra. Trop de pièges, trop de souffrances, trop de peur se tapissaient dans ces ténèbres malfaisantes. Soit elle rêvait encore et elle finirait bien par se réveiller à un moment ou à un autre, soit elle était vraiment chez Lloth et elle n'avait plus la force de lutter.

Complètement anéantie, Luna se laissa tomber sur le sol. Elle mit ses bras autour de ses jambes et appuya son front contre ses genoux. Elle resta ainsi, immobile et prostrée, de longues minutes durant. Elle crut enfin entendre quelque chose, comme un chuchotement venu de loin, de très loin. Elle redressa la tête et tendit l'oreille.

— Sylnodel… Sylnodel… Sylnodel…

Quelqu'un l'appelait par son nom elfique.

Les cheveux, sur sa nuque, se hérissèrent. Luna se releva d'un coup, le cœur battant. Ils n'étaient pas nombreux, ceux qui l'appelaient ainsi.

La voix se rapprochait. Elle le sentait. Elle comprit tout à coup.

— Grand-père, c'est bien toi ?

— Oui, Sylnodel, fit la voix dans un souffle ténu. Désolé de t'avoir attirée jusqu'ici, mais je n'avais pas le choix.

— Où sommes-nous ? Je ne te vois pas. Est-ce normal ?

— Là où je suis enfermé, mes pouvoirs sont très limités et il m'est impossible de t'apparaître en rêves comme avant. J'ai dû te guider dans les limbes jusqu'à l'essence de mon esprit, mais cela m'a grandement affaibli. Chaque seconde que je passe à te parler me vide un peu plus.

— J'irai à l'essentiel, grand-père, s'empressa de dire Luna qui craignait déjà de voir se déliter le lien ténu qui l'unissait à Hérildur. Sais-tu où se trouve le talisman et as-tu eu le temps de voir le malfrat qui l'a dérobé ?

— Hélas ! tout s'est déroulé tellement vite que ni Ravenstein ni moi n'avons pu anticiper l'agression de Syrus. Nous ignorons qui a bien pu commettre une telle ignominie. Mais le malfaiteur a agi avec une telle précision et une telle rapidité que nous sommes sûrs qu'il avait tout prémédité.

— Dans quoi a-t-il mis le talisman ?

— Dans une sorte de coffre parfaitement hermétique. Impossible de déterminer en quelle matière il est fait, mais je peux sentir son aura maléfique. De puissantes incantations l'enveloppent comme un manteau de nuit et nous empêchent, Ravenstein et moi, de voir ce qui nous entoure et d'entrer volontairement en contact avec toi. C'est terriblement frustrant.

— Tu n'as donc aucun indice à me donner ?

— La seule chose que j'ai eu le temps d'apercevoir, c'est sa main lorsqu'il a fourré la relique dans le coffre.

— Et qu'avait-elle de particulier ?

— Elle était noire comme de l'encre.

Luna tressaillit. Elle songea aux accusations de Bromyr et aux doutes d'Edryss. Se pouvait-il que le coupable soit effectivement un elfe noir ?

— Grand-père, il faut que nous retrouvions notre talisman au plus vite. As-tu une petite idée de l'endroit où ce coffre est dissimulé ?

— Je l'ignore totalement. La seule chose dont je sois certain, c'est que la relique se trouve non loin de Laltharils, sinon nous ne pourrions pas nous parler. Sûrement dans un endroit secret, bien à l'abri des regards indiscrets.

— Crois-tu que le voleur va essayer de détruire l'écorce ?

— Je ne le pense pas. Le voleur n'aurait pas pris autant de précautions s'il comptait nous détruire.

— Mais pourquoi l'avoir volée, dans ce cas ?

— À toi de le découvrir, Sylnodel, et de nous délivrer au plus vite. L'avenir de notre forêt en dépend.

— Promis, grand-père, je vais faire de mon mieux pour démasquer le coupable.

— Je savais que je pouvais compter sur toi, mon petit. Maintenant, il est temps de nous quitter. Mes ultimes forces fondent et je ne voudrais surtout pas te laisser prisonnière des limbes. Vite, ferme les yeux et fais le vide dans ton esprit. Adieu, Sylnodel…

Luna s'empressa d'obéir, en murmurant un au revoir étouffé par l'émotion.

Lorsqu'elle ouvrit les yeux, désorientée et bouleversée, elle s'étonna de se trouver allongée sur le lit d'Edryss. La chambre, baignée de soleil, contrastait avec l'obscurité totale de l'inquiétant monde des ténèbres. Il devait être autour de midi. L'adolescente en déduisit qu'elle n'avait dormi que deux ou trois heures.

Malgré la tristesse qui étreignait son cœur, elle réprima son envie de pleurer, se leva, enfila ses bottes et se précipita vers la sortie. Il fallait qu'elle prévienne Edryss au plus vite.

Elle ouvrit la porte à la volée, mais s'immobilisa en découvrant la prêtresse dans une position déconcertante : à quatre pattes près de la table basse, elle tâtonnait sous le canapé, d'un bras aveugle.

— Vous avez perdu quelque chose ? fit l'adolescente, embarrassée.

Edryss se retourna d'un coup et s'empressa de se relever, visiblement plus confuse que l'adolescente.

— Oh, Luna, tu m'as fait peur ! s'écria-t-elle. Oui, je cherchais ma broche. Tu sais celle qui est sertie d'émeraudes et que je porte souvent. Elle me vient de ma mère et j'y tiens beaucoup. Mais, bon, je vais sûrement la retrouver plus tard… Je suis contente que tu sois enfin réveillée. Tu as dormi tellement longtemps que je craignais d'avoir mal dosé la belladone et de t'avoir empoisonnée. Je commençais à me tracasser !

— Quelle heure est-il ? Autour de midi ?

— Oui, mais pas de la même journée. Tu as dormi presque vingt-six heures d'affilée.

L'adolescente suffoqua.

— Darkhan et Assyléa sont repartis ?

— Peu de temps après que tu te sois endormie, je les ai envoyés fouiller toute la cité afin de vérifier si l'écorce de Ravenstein s'y trouvait. Lorsqu'ils sont revenus, bredouilles, ils étaient très inquiets pour toi et tenaient à te réveiller. Je les en ai empêchés, sachant que le monde des esprits est parfois difficile à atteindre. Le temps là-bas n'est pas le même que celui qui passe ici.

Luna approuva d'un hochement de tête, puis demanda :

— Ils sont rentrés à Laltharils ?

— Darkhan ne voulait pas s'en aller, tu penses bien, mais je lui ai promis que je resterais auprès de toi jusqu'à ton réveil. Il a fini par capituler, à plus forte raison parce qu'Assyléa ne semblait pas très en forme.

— Ah bon !

— Oh, rien de grave, rassure-toi. Une simple migraine. Entre nous, je crois qu'elle a un peu trop abusé de l'alcool durant la noce. Mais, dis-moi, as-tu réussi à voir ton grand-père ? T'a-t-il appris quelque chose d'intéressant ?

Avant de répondre, Luna s'assura d'un coup d'œil que Platzeck ne se cachait pas derrière une colonne.

— Nous sommes seules, la rassura Edryss. Tu peux parler sans crainte.

L'adolescente raconta l'essentiel de son entrevue avec Hérildur.

— La bonne nouvelle, c'est que le malfaiteur n'a pas emporté notre relique hors de la forêt et que, d'après grand-père, il ne compte pas la détruire. La mauvaise nouvelle, c'est que le coupable serait un drow, sans doute un sorcier qui maîtrise des sorts de protection complexes et qui est capable de se mouvoir de façon extrêmement rapide.

Edryss devint soudain blême.

— Tu penses qu'il s'agit de Platzeck? suffoqua-t-elle.

Un étrange malaise gagna l'adolescente. Elle se contenta de hausser les épaules.

— Tout semble le désigner, mais c'est votre bras droit et je ne vois pas bien pourquoi il aurait fait une chose pareille. Cela fait beaucoup de tort aux elfes noirs... À moins qu'il soit en effet un traître et qu'en s'emparant de notre talisman il veuille déclencher une guerre civile qui profiterait à la déesse araignée.

Edryss, qui était assise en face de Luna, se leva brusquement.

— Impossible! Platzeck est incapable de nous trahir. Je le connais mieux que quiconque.

— Vous savez, la raisonna timidement Luna, parfois on croit connaître les gens, mais on tombe de haut en découvrant leur vraie nature.

— Je connais la vraie nature de Platzeck, affirma la prêtresse en plongeant son regard doré dans celui de Luna. C'est mon fils !

# 8

Sur le chemin du retour, Luna repensait à son entretien avec Edryss. Jamais elle ne se serait doutée que Platzeck était son fils. Ils étaient tellement différents, tous les deux! Autant Edryss était posée et sociable, autant le jeune sorcier semblait taciturne et impulsif. Avec son côté frondeur et agressif, Platzeck mettait Luna terriblement mal à l'aise.

Tout en suivant le sentier sinueux qui bordait les berges du lac, elle s'interrogeait sur l'éventuelle culpabilité du drow. L'impressionnante rapidité avec laquelle il s'était emparé de la figurine sacrée des elfes noirs le jour du mariage prouvait qu'une poignée de secondes lui aurait suffi pour attaquer le vieux Syrus et s'emparer du talisman. Luna ne se souvenait pas l'avoir revu lors du banquet. Peut-être était-il trop occupé à chercher la meilleure cachette ou à mettre au point des formules de protection.

Elle soupira. Tous les indices qu'elle possédait semblaient incriminer Platzeck. Pourtant elle refusait de céder à la facilité. Elle trouvait inimaginable d'accuser qui que ce soit sans preuve tangible. C'était d'ailleurs pour cette raison qu'elle avait promis à Edryss de ne dévoiler ni à Ambrethil ni aux autres membres du Conseil les informations compromettantes révélées par Hérildur. De son côté la prêtresse l'avait assurée qu'elle mènerait sa propre enquête au sein de la communauté drow. Darkhan et Assyléa avaient fait du bon travail, mais peut-être étaient-ils passés à côté de certains détails qu'elle serait plus à même de remarquer.

— Sois sans crainte, je n'exclurai personne, avait-elle ajouté avant que Luna ne prenne congé. Platzeck n'échappera pas à ma vigilance. Ainsi, nous serons fixées sur son compte.

Quand elle arriva au palais de Laltharils, l'adolescente se demandait toujours par où elle allait bien pouvoir commencer ses investigations. Plutôt que de contourner l'immense édifice fait de troncs, de racines et de roches, pour rejoindre l'entrée principale à une centaine de mètres de là Luna opta pour un chemin détourné, plus court mais également plus sportif. Après s'être glissée par une porte dérobée qui menait à une arrière-cour, elle emprunta un des escaliers de service. Elle escalada sans difficulté une façade, se hissa sur une passerelle qui surplombait les jardins suspendus, puis sauta sur un petit balcon. Là, il lui suffit de longer une étroite corniche pour finalement se laisser tomber sur sa terrasse en contrebas.

— Original, comme arrivée ! clama une voix enjouée dans son dos.

À sa grande surprise, Kendhal l'attendait, confortablement installé sur une des banquettes, face au soleil.

— Tu ferais une bonne acrobate, tu sais, ajouta-t-il en souriant, même si normalement les futures souveraines ne s'adonnent pas à ce genre d'activité.

Luna contracta la mâchoire. Après ce qui s'était passé dans la salle du conseil, Kendhal était la dernière personne avec qui elle avait envie de plaisanter, surtout maintenant qu'elle savait que le coupable était sans doute un drow. Cela l'agaçait de songer que Bromyr avait raison.

— Tu fais la tête ? demanda le jeune homme en s'approchant d'elle.

— Pas du tout, mentit Luna. C'est juste que je n'ai pas trop le temps de discuter avec toi maintenant.

« Et tac ! songea-t-elle, un brin revancharde. Chacun son tour ! »

— Oh… Tu dis ça pour avant-hier soir ? dit Kendhal. Tu sais, je suis désolé, mais c'est vrai que j'avais plein de monde à voir. Mes nouvelles fonctions m'imposent certaines obligations. Que cela me plaise ou non, je n'ai pas le choix.

— Au point de ne même pas m'accorder un regard ? rétorqua l'adolescente en entrant dans le salon.

— Ah, tu vois bien que tu boudes ! ironisa-t-il en la suivant.

— Non, je ne boude absolument pas. J'ai vraiment une chose urgente à faire.

— Ce ne sera pas long, insista Kendhal en la prenant par les épaules pour la faire pivoter. Je voudrais simplement que tu m'accordes trente secondes.

Luna se dégagea en ronchonnant. Le visage fermé, elle croisa les bras et soutint son regard doré sans ciller.

— Qu'y a-t-il ? Si tu veux t'excuser pour l'attitude inconvenante de Bromyr, sache que ses propos ont blessé toute la communauté drow, moi y compris !

Kendhal écarquilla les yeux. Même s'il n'avait pas approuvé l'esclandre provoqué par son général et qu'il s'en était ouvert à Ambrethil, il n'avait pas eu l'intention de s'en excuser auprès de Luna.

— Tu sembles étonné, ajouta-t-elle. Aurais-tu par hasard oublié que du sang drow coule dans mes veines ? En s'attaquant aux elfes noirs, ton général s'en est également pris à moi.

— Oh, je vois, fit Kendhal à qui ce détail avait échappé. Bon, écoute, je suis désolé si Bromyr a dit des choses qui t'ont fait du mal. Il est parfois un peu direct et la diplomatie n'est pas son fort. Je déplore ses attaques à l'encontre d'Edryss, sache-le, mais, à mon avis, ce en quoi il n'a pas tort, c'est qu'il ne faut écarter aucune piste.

— Tu plaisantes, ou quoi? fulmina Luna. Le problème, c'est que Bromyr n'a évoqué qu'une seule piste, justement, celle des drows. Cela ne se fait pas, d'accuser sans preuve; pas plus que de désigner un coupable sur la foi de préjugés raciaux.

— C'est vrai. Mais, pour se racheter, Bromyr va officiellement mener l'enquête. Ta mère a approuvé sa candidature.

Luna secoua la tête, consternée.

— Une enquête menée par Bromyr! Et tu penses que l'équité sera ainsi garantie?

— Cyrielle s'est proposée pour le seconder.

Ces mots apaisèrent légèrement la colère que ressentait Luna. Quelques secondes s'égrenèrent dans le silence.

— Bon ! C'est tout ce que tu avais à me dire ? fit-elle, radoucie.

— Non, en fait, je voulais te soumettre une idée. Que dirais-tu si nous menions une enquête parallèle à celle de Bromyr et de Cyrielle ?

L'adolescente fronça les sourcils, déroutée.

— Tu ne leur fais pas confiance ? fit Luna, soupçonneuse.

— Deux enquêtes valent mieux qu'une, il me semble. En plus je sais que tu es intègre. Et puis, tu te souviens, nous avions fait une bonne équipe lorsque nous avions préparé l'antidote pour sauver la forêt.

Luna fit la moue, hésitante. Après tout, Kendhal venait de lui présenter ses excuses et maintenant il lui proposait une alliance, comme au bon vieux temps. Elle eut soudain très envie d'accepter. Cela impliquait toutefois qu'elle partage avec le jeune elfe les indices fournis par Hérildur, lesquels accusaient les drows.

— Allez, cela ferait tellement plaisir à Ambrethil, insista-t-il devant l'air indécis de Luna.

— Comment ça ? s'étonna l'adolescente.

— Bien, c'est elle qui a…

— C'est ma mère qui t'a demandé de m'associer à ton enquête ? tempêta Luna. C'est son idée ?

Devant la fureur qu'il lisait sur les traits de son amie, Kendhal, surpris, recula d'un pas.

— C'est vrai que c'est Ambrethil qui me l'a proposé, mais c'est une excellente…

— Va-t'en ! Immédiatement ! s'écria la jeune fille en accompagnant son ordre d'un geste rageur pour désigner la porte. Je pensais que tu voulais qu'on se réconcilie, mais en fait c'est par pitié que tu viens quémander mon aide. Je suis franchement déçue !

— Par pitié ? dit Kendhal, interloqué, raisonne-toi ! Tu dis n'importe quoi ! Ta mère sait que nous sommes amis et elle voulait juste que nous…

— Eh bien, tu vois ! je ne suis plus sûre qu'après ce qui s'est passé ces derniers jours nous soyons encore amis. De toute façon, je n'ai pas envie de mener l'enquête avec toi. Va plutôt t'associer avec ton général. Ah, vous allez faire une fine équipe !

Le jeune homme se mordit la lèvre pour s'empêcher d'être cinglant.

Ce fut à ce moment-là qu'Elbion pénétra dans le salon d'un pas tranquille. Son regard alla de Kendhal à Luna et son instinct lui dit immédiatement qu'il ne pouvait pas plus mal tomber.

— Je crois que je reviendrai plus tard, fit-il à l'intention de Luna.

— Non, reste, Elbion. Kendhal allait justement partir.

Le jeune roi dévisagea un moment Luna, les yeux plissés, comme pour tenter de déchiffrer ce qui pouvait lui traverser l'esprit. Il tourna enfin les talons sans ajouter un mot.

— Hou, là ! plutôt tendu, comme ambiance ! ironisa Elbion une fois que Kendhal eut quitté la pièce.

Luna exhala un profond soupir avant de se laisser tomber sur un pouf.

— Ah ! Qu'est-ce qu'il peut m'énerver, en ce moment ! J'ignore pourquoi, mais on n'arrive plus du tout à se comprendre.

— Oh, ça arrive parfois, ne t'inquiète pas, bâilla Elbion. Au fait, tu ne t'es pas trop inquiétée, cette nuit ?

— Pourquoi donc ?

— Bien, parce que... fit-il hésitant, parce que je ne suis pas rentré.

— Ça tombe bien, j'ai dormi chez Edryss. Mais, dis-moi, tu étais où ?

— Heu, avec... des amis. Des amis loups.

— Ah ? s'étonna Luna en tapotant un coussin pour faire signe à son frère de la rejoindre.

Tu as passé une bonne soirée? Eh, mais qu'est-ce que c'est que cette blessure, là? Comment est-ce arrivé?

Une large plaie pas encore cicatrisée barrait le flanc gauche de l'animal.

— Oh, ce n'est rien, lâcha Elbion d'un ton détaché comme s'il s'agissait d'une simple égratignure. Juste une petite démonstration de force entre amis.

— Bigrevert, c'est un peu violent comme preuve d'amitié, tu ne trouves pas?

— C'est courant, dans une meute. Rappelle-toi les rixes qui opposaient autrefois Zek aux autres loups.

— Mouais, fit Luna, peu convaincue. Bon, eh bien! pendant que tu t'amusais avec tes copains, il s'est produit un événement tragique le soir du mariage!

Comme son frère dressait les oreilles, elle poursuivit:

— Quelqu'un a agressé Syrus pour lui dérober le talisman sacré des elfes de lune. Comme c'est lui qui abrite l'esprit de Ravenstein et celui de grand-père, s'il est détruit, notre forêt perdra ses protections et sera à la merci de la première attaque drow. Bromyr et Thyl pensent que seul un elfe noir a pu commettre un tel forfait. Ils ont accusé Edryss de cacher un traître. J'aurais voulu que Kendhal tempère son général, mais il n'a pas bronché. Edryss et son bras droit ont quitté le Conseil, furieux. Darkhan et Assyléa ont suivi, et moi ensuite. Après notre départ, l'enquête a été confiée à Bromyr et à Cyrielle. Mais je crains que mon amie ne se laisse influencer par les préjugés du général.

— Et c'est pour ça que vous vous disputiez, Kendhal et toi ?

— Pas vraiment, avoua Luna. En fait, Kendhal compte mener sa propre enquête en parallèle. Mais ma mère lui a demandé de solliciter mon aide.

— Et il ne veut pas ?

— Mais si, il veut bien, s'énerva Luna. Ce n'est pas ça, le problème. Enfin, Elbion, tu ne comprends rien, ou quoi ? Ce qui me choque, c'est qu'il aurait dû avoir l'idée tout seul. Ce n'est quand même pas à ma mère de lui dicter ses actes !

Elbion leva des yeux rieurs vers sa sœur.

— C'est fou ce que vous êtes compliquées, vous, les filles ! lâcha-t-il en s'étirant.

— Peuh, t'en connais beaucoup, des filles, toi ?

— Suffisamment pour savoir que vous fonctionnez toutes de la même façon. Vous êtes d'une susceptibilité ! Tu sais qu'à réagir ainsi tu risques de perdre l'amitié de Kendhal.

Et ça, crois-moi, ce serait vraiment dommage. Il tient beaucoup à toi.

— Eh bien ! il a une drôle de façon de le montrer.

— Mais ouvre les yeux, bon sang ! rétorqua Elbion. Kendhal tient à toi, c'est évident.

— Tu parles ! Il m'ignore toute la soirée, il laisse son général insulter mon peuple, il…

— Ton peuple ? sursauta Elbion. Depuis quand revendiques-tu avec fierté ton côté elfe noir ? Tu as du toupet, quand même !

Furieuse, Luna se leva d'un bond.

— Soit, je ne me suis jamais vantée de mes origines drows, mais, attaquer la communauté d'Edryss, c'est s'en prendre à Assyléa et à Darkhan. Et ça, je ne peux l'admettre !

— Ah, je préfère cet argument, fit Elbion. C'est plus honnête de ta part.

L'adolescente lui jeta un regard noir avant de se diriger vers la porte de ses appartements.

— Bon, il faut que j'aille voir Syrus et ma mère. Tu m'accompagnes ?

— Désolé, mais j'ai du sommeil en retard, s'excusa Albion en s'enroulant sur lui-même.

Luna marmonna quelques mots avant de claquer rageusement la porte.

Elbion sourit intérieurement en songeant qu'elle avait vraiment un sale caractère et s'endormit avec en tête l'image d'une louve en colère.

Luna se dirigea d'un pas décidé vers l'infirmerie. Elle bouillait intérieurement, mais elle parvenait mal à déterminer si c'était à cause de sa dispute avec Kendhal, ou de sa discussion avec Elbion. En tout cas, ce que lui avait dit son frère avait sérieusement ébranlé ses certitudes. Avait-elle eu tort de refuser l'alliance proposée par Kendhal sous prétexte que l'idée ne venait pas de lui ? Kendhal tenait-il vraiment à elle, malgré les apparences ? Était-elle vraiment aussi compliquée et susceptible que le prétendait Elbion ?

Malheureusement, ses déconvenues ne s'arrêtèrent pas là. À l'infirmerie, une jeune infirmière lui apprit que Syrus venait de s'assoupir et qu'il était préférable de le laisser dormir. Fataliste, elle n'insista pas et promit de repasser dans la soirée ou le lendemain.

« Oh, quelle sale journée ! maugréa-t-elle en revenant sur ses pas. Tout va décidément de travers, aujourd'hui. Espérons que maman sera d'humeur à m'écouter. »

Mais là encore Luna n'eut guère plus de chance. Les gardes de la salle du trône lui en interdirent l'accès, arguant que la souveraine s'entretenait avec ses généraux sous le sceau du secret. Ambrethil avait bien spécifié qu'on ne devait la déranger sous aucun prétexte.

Elle eut beau insister, les soldats se montrèrent inflexibles. Elle renonça toutefois à faire un esclandre et retourna à ses appartements, la mort dans l'âme.

« Soit ! pensa-t-elle sur le chemin du retour. Que ma mère fasse ce que bon lui semble avec son armée, moi, je vais aller voir comment Cyrielle s'en sort. J'en profiterai pour la mettre en garde contre l'influence de Bromyr. On ne sait jamais… Pour peu qu'elle le trouve bel homme, elle serait bien capable d'approuver tout ce qu'il dit dans l'unique but de se faire épouser ! » Cette idée lui arracha un sourire.

Son estomac se mit à protester avec véhémence et Luna réalisa qu'elle n'avait rien avalé depuis la veille. Elle décida de pousser jusqu'aux cuisines royales où les cuisiniers se firent une joie de lui servir une cuisse de poulet accompagnée de légumes frits et une part de tarte aux prunes qu'elle dévora de bon appétit.

Rassasiée et de meilleure humeur, elle se rendit au port de Laltharils où un passeur lui fit traverser le lac. La balade sur les flots cristallins fut agréable, mais de courte durée. La cité aérienne des avariels ne tarda pas à apparaître dans les frondaisons. Avec ses maisons nichées dans les troncs et ses terrasses cachées dans les cimes, Verciel était étonnante de discrétion et de beauté. C'était la symbiose parfaite entre les arbres et le ciel, à l'image même de ses habitants, attachés à leurs racines terrestres, mais naturellement attirés par l'azur.

Dès que la barque accosta au ponton, Luna fonça en direction d'une des nacelles qui permettaient d'accéder aux terrasses supérieures. Lorsque le mécanisme magique se mit en marche, elle s'éleva dans les airs en s'émerveillant comme chaque fois de la vue magnifique qui s'offrait à son regard. Elle était tout à fait consciente de la chance qu'elle avait de vivre dans un tel endroit: un lac aux eaux limpides, quatre cités remarquables, quatre peuples unis. « Enfin, jusqu'à avant-hier, songea Luna en sentant sa gorge se serrer. Si nous ne trouvons pas vite le coupable, la situation risque de dégénérer au point que tout cela appartiendra bientôt au passé... »

Une fois arrivée sur la terrasse, Luna bondit en direction de l'aile du palais où logeait Cyrielle. Lorsqu'elle se présenta devant la porte ouest, elle salua le garde de faction qui la reconnut et se prosterna avec humilité avant de la laisser passer. Depuis les exploits de la jeune princesse lors du siège de Nydessim, les avariels éprouvaient pour elle une gratitude infinie, un mélange de respect et d'admiration.

Sans perdre de temps, Luna se glissa dans le hall circulaire et emprunta l'escalier qui menait aux chambres. Celle de son amie n'était plus qu'à quelques mètres de là lorsqu'un hurlement strident stoppa son élan. Cela provenait de l'étage supérieur.

Sans une once d'hésitation, elle s'engouffra dans l'escalier. Ce qu'elle découvrit la tétanisa.

La petite sœur de Thyl se tenait dans l'embrasure d'une porte dorée, les deux mains sur la bouche pour s'empêcher de hurler à nouveau.

— Haydel, s'écria Luna, que se passe-t-il ma puce ? Pourquoi as-tu crié ainsi ?

L'enfant ne prononça aucune parole, mais son petit doigt pointé vers l'intérieur de la pièce suffit à faire comprendre à Luna l'ampleur de la catastrophe. Dans une salle aux murs entièrement recouverts d'or, le corps de Cyrielle gisait par terre, étendu de tout son long.

— Tu… tu crois qu'elle est morte ? sanglota Haydel.

Plutôt que de répondre, Luna se précipita dans la salle et posa sa paume sur la poitrine de son amie. Elle soupira aussitôt de soulagement.

— Rassure-toi, Haydel. Cyrielle a juste perdu connaissance. Elle n'a rien. Tout va bien.

Prostrée devant la porte, la fillette rétorqua d'une voix blanche :

— À ta place, je ne dirais pas ça, Luna. Regarde, là-haut. Le parchemin d'or a disparu !

# 9

À genoux en face de la statue d'obsidienne de Lloth, Sylnor semblait plongée dans une profonde méditation. Ses longs cheveux cachaient ses yeux clos et retombaient sur ses épaules fines pour finir dans son dos, telle une cascade de boucles d'argent. Depuis des heures, elle se tenait immobile. Seules ses lèvres rose pâle bougeaient imperceptiblement sous la mélopée des incantations destinées à appeler la déesse araignée. Mais, aujourd'hui, la divinité se faisait attendre.

Une sourde torpeur commençait à gagner l'esprit tourmenté de la jeune matrone. Peu à peu, les prières rituelles qu'elle avait apprises par cœur perdaient de leur conviction et se muaient en un murmure à peine audible. Ses pensées s'évaporaient les unes après les autres, comme si sa conscience cherchait à fuir les lourdes responsabilités qui lui incombaient.

Ce fut à ce moment que le visage de sa mère, ovale et parfait, s'imposa à elle. Un flot de paroles murmurées par une voix d'une douceur sans pareille se déversa dans sa tête avant d'inonder son corps tout entier. Une sensation de chaleur bienfaisante s'empara d'elle. Sylnor flottait à présent dans une bulle, légère et parfumée, comme lovée dans le giron maternel. Ambrethil la berçait tendrement et chuchotait à son oreille des mots doux débordants d'amour.

— Que veux-tu, encore? tempêta soudain la voix stridente de Lloth.

La bulle de bonheur de Sylnor éclata d'un coup. L'adolescente sursauta et, s'apercevant qu'elle s'était assoupie à même le sol, elle s'empressa de se relever.

— Eh bien! gronda la déesse courroucée, était-ce pour me faire partager tes écœurants rêves dégoulinants de guimauve, que tu m'as appelée?

— Heu, non, bien sûr que non… balbutia Sylnor, rouge de honte. Je voulais simplement vous tenir au courant de certaines décisions que j'ai prises, c'est tout.

Un profond soupir d'agacement s'échappa de la bouche figée de l'araignée gigantesque.

— Vas-y, mais sois concise. J'ai des affaires urgentes à régler.

L'adolescente obtempéra et entreprit de s'expliquer.

— Tout d'abord, j'ai fait comme vous me l'avez demandé. J'ai convoqué les trois prêtresses et leur ai intimé l'ordre de constituer leur équipe. J'ai investi chacune d'elles d'une mission. La première qui réussira aura le privilège de me seconder.

— En quoi consistent leurs missions ?

— J'ai demandé à Caldwen de retrouver dame Klarys, l'ancienne intendante du monastère qui m'a trahie, que je puisse la châtier de façon exemplaire. À Thémys, j'ai confié le soin de m'amener un nécromancien digne de ce nom et à…

— Un nécromancien ? Tiens donc ! la coupa Lloth. Et pour quoi faire ?

— J'ai beaucoup réfléchi ces derniers temps au moyen d'approcher ma sœur et ma mère. Vous avez vu par vous-même le genre de messages qu'Ambrethil m'envoie ? Je ne supporte plus ces cauchemars. Il faut en finir une bonne fois pour toutes. Puisque Laltharils est toujours inviolable, j'ai décidé de m'attaquer directement à l'esprit qui protège cette forêt.

La déesse ricana, moqueuse.

— Que crois-tu donc? Bien d'autres ont essayé avant toi. Ni Zesstra ni Zélathory n'y sont parvenues. Laisse tomber. Tu n'as aucune chance.

— Sauf votre respect, grande Lloth, je pense qu'un véritable nécromancien – je parle d'une âme noire et corrompue, habituée à côtoyer la mort et les esprits démoniaques – pourrait s'aventurer suffisamment loin dans l'au-delà pour dénicher celui qui veille sur Ravenstein.

— Si tu veux mon avis, c'est une perte de temps, mais, après tout, c'est toi la matriarche, maintenant. Fais comme bon te semble... Quant à Ylaïs, quelle tâche lui as-tu confiée?

— Sans doute la plus facile, rétorqua Sylnor en souriant. Je l'ai envoyée enquêter sur la mort suspecte d'une patrouille dans le secteur nord. Rien de bien grave, mais je tiens à ce que mon autorité soit respectée. Il est hors de question que mes guerrières se fassent massacrer en toute impunité. Les coupables seront cruellement punis, vous pouvez me faire confiance.

Lorsque Sylnor se tut, un profond silence flottait dans la chapelle. Elle crut un instant que la déesse s'en était retournée à ses affaires, la plantant là sans autre forme de procès.

— Maîtresse... osa-t-elle d'une voix fébrile.

— Une patrouille massacrée, dis-tu ? articula lentement la déesse comme si elle venait d'encaisser un rude coup.

— Oui. La seule rescapée s'est présentée au monastère. Ses agresseurs l'avaient mutilée physiquement et psychiquement de façon à ce qu'elle ne puisse nous dévoiler aucun détail. La seule information qu'ils avaient volontairement laissée filtrer était le pendentif qu'elle portait autour du cou. Un scorpion en or. Mes recherches m'ont appris qu'il s'agissait du symbole de...

— Naak ! éructa Lloth. Ainsi c'était lui ! Naak, le guerrier, le dieu des mâles avides de puissance et de pouvoir. Naak que j'ai écrasé sous mon implacable férule comme une vulgaire tique. Naak qui n'a jamais supporté la suprématie des femmes. J'aurais dû me douter qu'un jour son nom remonterait de la fange où je croyais l'avoir noyé !

— Ne vous inquiétez pas, maîtresse, Ylaïs va tout mettre en œuvre pour trouver où se cachent les adorateurs de ce dieu de pacotille et nous anéantirons leur secte dans un bain de sang.

Agacée par autant de naïveté, la déesse se fâcha.

— Tais-toi, sombre idiote ! Sache qu'il ne faut jamais sous-estimer un adversaire, surtout pas un dieu. Je me demandais qui avait bien pu avoir l'outrecuidance de venir me narguer jusque dans ma tour. J'ai cru un moment qu'il s'agissait de ma maudite fille, mais Eilistraée ne fonctionne pas ainsi. Peste! J'en déduis que c'était Naak. Le scorpion possède déjà assez d'adeptes pour avoir récupéré sa sphère. Et quelque chose me dit qu'il ne va pas s'arrêter en si bonne voie.

— Oh! lâcha Sylnor en comprenant ce que cela impliquait.

— Toi qui pensais avoir confié à Ylaïs une mission facile, tu l'as probablement envoyée à la mort. Dis-toi que le massacre de cette garnison n'était que le début d'une longue série de meurtres. J'ai toujours su que ton règne ne serait pas de tout repos, mais j'étais finalement bien en deçà de la vérité. Si Naak convoite Rhasgarrok, tu n'es pas prête de te venger de ta sœur et de ta mère.

La gorge sèche, Sylnor peinait à déglutir quand des coups secs retentirent contre les lourdes portes de sa chapelle privée. Elle se retourna, agacée d'être ainsi interrompue.

Avant d'aller ouvrir, elle jeta un coup d'œil interrogateur à la statue, mais, comme Lloth demeurait silencieuse, elle se dirigea vers la porte. À sa grande stupéfaction, elle découvrit Ylaïs, le visage blême, les cheveux défaits.

— Je sais que vous avez horreur d'être dérangée lorsque vous priez la déesse, haleta-t-elle en s'inclinant rapidement, mais ce que j'ai à vous apprendre ne pouvait attendre.

— Dans ce cas, entre.

Sylnor s'efforçait de masquer son angoisse. Même si elle était secrètement soulagée de voir sa favorite encore en vie, elle savait que les nouvelles dont elle était porteuse risquaient d'être des plus mauvaises. Sans rien laisser paraître de ses mauvais pressentiments, elle alla s'asseoir sur un petit trône installé à droite de la statue de Lloth et fit signe à la prêtresse de parler.

Trop intimidée par la présence inquisitrice de l'araignée de pierre pour oser regarder dans sa direction, Ylaïs s'approcha du trône, tête baissée.

— J'ai enquêté comme vous me l'aviez demandé. Hélas ! ce que j'ai découvert est effroyable.

— Parle sans crainte, je t'écoute, l'encouragea Sylnor. Mais n'essaie pas de me cacher un détail. Tu sais de quoi je suis capable.

L'autre hocha la tête avant de reprendre :

— Lorsque je me suis rendue à la caserne nord, j'ai découvert un véritable carnage. Des corps éventrés et des murs badigeonnés de sang, des messages à la gloire de Naak. Plus une seule guerrière en vie. Désireuse d'en savoir plus, j'ai interrogé les habitants alentour, mais personne ne semblait savoir quoi que ce soit. Dès que je prononçais le nom de Naak, les lèvres se fermaient, les regards devenaient fuyants. Même les menaces et les intrusions mentales ne m'ont rien appris de plus, sauf que les voisins de la caserne ont une peur évidente de la secte. J'ai poursuivi mon enquête en direction de l'est, vers le fortin qui regroupe les unités d'élite de ce secteur. Même spectacle de désolation morbide. Et, à chaque fois, le nom de Naak en lettres de sang signe ces horribles crimes. J'ai alors compris que rien n'arrêterait ces fanatiques et que toutes les guerrières postées dans nos casernes avaient définitivement rejoint le royaume des morts.

Livide, Sylnor se sentait incapable de proférer le moindre mot. Elle savait que la déesse écoutait et elle se demandait quelles pouvaient être ses pensées. De la main, elle fit pourtant signe à la prêtresse de poursuivre.

— Devinant que les adorateurs de Naak préparaient un mauvais coup de grande envergure, je me suis mêlée à la foule pour écouter rumeurs et ragots, et déterminer si le monastère était visé. Ce que j'ai découvert ne va certainement pas vous plaire, mais c'est mon devoir, je suppose, de vous mettre au courant.

Ylaïs prit une grande inspiration pour se donner du courage, consciente que ses propos pouvaient la condamner.

— Curieusement, personne ne semble s'offusquer du massacre des patrouilles. Les gens sont même plutôt soulagés de ne plus se sentir épiés et constamment surveillés. Par contre, ils s'étonnent de l'absence de répression sanglante comme les y avaient habitués les autres matriarches. Aussi, ils s'interrogent beaucoup sur vous. Je ne sais comment, mais ils ont découvert que vous êtes jeune, très jeune. En conséquence, ils s'imaginent que vous avez peur, que vous vous cachez derrière les murs du monastère, tremblante comme une feuille.

— Mais c'est faux ! objecta vivement Sylnor en se relevant, outrée. Je vais leur montrer, moi, ce que c'est qu'une vraie répression. Ils veulent du sang, ils vont en avoir !

Alors qu'elle s'apprêtait à quitter la chapelle, furieuse, la voix de Lloth résonna, terrible et sans appel :

— Non, Sylnor, attends ! Je veux entendre la suite.

Déjà impressionnée par la présence de l'immense statue de Lloth, la jeune prêtresse venait seulement de prendre conscience que la déesse avait également écouté son récit. Paralysée par la peur, elle fut incapable d'ouvrir la bouche. Mais Lloth insista :

— Parle, Ylaïs. Je veux savoir ce que disent les drows !

— Heu… à quel… propos ? bredouilla la prêtresse, terrifiée.

— À propos de moi !

Son cœur s'arrêta de battre et son esprit hurla de terreur. Ylaïs comprit qu'elle allait mourir. Pourtant, en intégrant le clergé de Lloth, elle avait prêté serment, juré d'obéir à la déesse quels que fussent ses ordres. N'ayant d'autre choix, elle confessa dans un souffle :

— Nombreux sont les drows qui n'ont plus confiance en vous. Ils pensent que vous vous êtes trompée en intronisant une adolescente et que vous avez perdu vos pouvoirs et votre crédibilité. Beaucoup se tournent vers d'autres dieux, pensant trouver en eux quelqu'un qui saura veiller sur eux.

La jeune prêtresse ferma les yeux, certaine que sa dernière heure venait d'arriver. Elle serra les dents et se contracta, prête à recevoir le coup fatal. Elle s'attendait à tout, sauf à ce qui se produisit. Contre toute probabilité, Lloth laissa échapper un ricanement sonore.

— Ah bon ! C'est ce qu'ils croient, ces misérables abrutis ! Ils m'abandonnent sans vergogne au moindre moment de faiblesse !

Ah, les traîtres, ils vont voir ce qu'il en coûte de renier une déesse. Ylaïs, relève-toi et regarde-moi.

La jeune femme s'exécuta, mortifiée.

— Il fallait du courage pour oser me révéler la vérité. En faisant ce choix, tu as prouvé ta valeur et ta fiabilité. Matrone Sylnor ne s'est pas trompée en te confiant cette quête. Aussi vais-je te permettre de poursuivre tes investigations. Cette fois, je veux que tu infiltres la secte des adorateurs de Naak. En te faisant passer pour l'une des leurs, tu découvriras vite ce qu'ils manigancent. Dès que tu auras suffisamment d'informations dignes d'intérêt, comme les noms de leurs chefs, les maisons auxquelles ils appartiennent et les endroits où ils se cachent, tu viendras m'en rendre compte. De même, si ces renégats envisagent d'attaquer le monastère, tâche d'en savoir le plus possible pour que nous puissions contrer leur coup d'État.

Les yeux exorbités par la surprise, Ylaïs n'en revenait pas que la déesse en personne lui confie une mission de cette importance. Elle qui s'attendait à mourir, elle allait jouer un rôle capital dans la survie du culte de Lloth.

— Inutile de te préciser que j'accorde rarement ma confiance à quelqu'un d'autre qu'à ma grande prêtresse, ajouta l'araignée comme si elle avait lu dans l'esprit de la jeune femme. Si tu te révèles aussi efficace que fidèle, tu monteras en haut de l'échelle. Mais si tu me trahis je ne donne pas cher de ta peau, crois-moi.

— Entendu, Votre Grandeur. Je ne vous décevrai pas. Vous pouvez compter sur moi.

Après s'être inclinée avec une déférence admirative devant la statue, la drow salua matrone Sylnor avec respect et quitta la chapelle la tête haute.

L'adolescente se tourna vers la statue de Lloth et attendit qu'elle s'exprime. Comme le silence se prolongeait, glacial et pesant, elle se demanda à quoi pouvait bien songer la déesse.

— Je pense qu'il est temps pour toi d'acquérir ton troisième pouvoir.

— Maintenant ? suffoqua l'adolescente, soudain blême. Mais je ne suis pas assez…

— Nous n'avons plus le temps d'attendre. Jamais aucune grande prêtresse avant toi n'a bénéficié d'un tel don ; tâche de t'en montrer digne. Les jours nous sont comptés. C'est toi qui devras affronter les hordes de rebelles qui voudront usurper ton trône et, sans ce pouvoir, tu ne seras pas de taille à les repousser.

— Quand commençons-nous ? demanda Sylnor, résignée.

— Maintenant.

# 10

Lorsque Luna ouvrit les yeux, elle eut un instant de frayeur en ne reconnaissant pas l'endroit dans lequel elle se trouvait. Mais lorsqu'elle aperçut les boucles rousses de la petite Haydel endormie à ses côtés tous les événements de la veille lui revinrent en mémoire : ses efforts vains pour ranimer Cyrielle, les cris de colère, puis de désespoir de Thyl lorsqu'il avait constaté la disparition de leur précieux talisman, la consternation des avariels affolés, la panique autour de son amie qui ne reprenait toujours pas connaissance, les pleurs des uns, les prières des autres… Thyl avait envoyé des sentinelles aériennes patrouiller dans les environs à la recherche du coupable, pendant que les autres fouillaient la ville de bas en haut.

Avec la nuit était venu le silence, le silence d'un peuple au bord de l'agonie.

N'ayant pas la force d'abandonner la petite sœur de l'empereur bouleversée par l'agression de Cyrielle et le vol du parchemin, Luna avait décidé de rester à ses côtés. Les larmes de la fillette ne s'étaient taries qu'au moment où elle avait sombré dans le sommeil. Luna avait succombé à son tour à la fatigue.

Sans faire de bruit, l'adolescente se leva et s'approcha de la fenêtre. L'aube se levait, révélant dans les ténèbres les silhouettes fantomatiques des arbres. Les eaux profondes et sombres du lac dormaient encore sous une épaisse couche de brume vaporeuse.

Luna resta un moment à observer la nature qui s'éveillait et reprenait ses couleurs. Le drame qui avait affecté ses amis avariels l'avait profondément émue. Le parchemin d'or représentait tellement pour eux ! C'était l'unique moyen de communiquer avec Abzagal. S'il était perdu, cela revenait à rompre tout lien avec le dieu dragon.

Au fond d'elle, Luna savait que le morceau d'écorce était aussi important pour les elfes de lune. Pourtant, le vol du talisman sacré des avariels lui semblait plus catastrophique encore. Était-ce parce qu'il constituait un lien privilégié avec Abzagal, parce qu'elle l'avait tenu entre ses mains au moment où elle avait résolu l'énigme du bassin, parce que la douleur des elfes ailés était plus perceptible que celle de ses compatriotes et la rage de Thyl plus poignante que l'impassibilité d'Ambrethil, ou bien parce que c'était le deuxième talisman dérobé en deux jours et que tout portait à croire que le malfaiteur ne s'arrêterait pas là ?

Luna se sentait terriblement déprimée. Comme elle regrettait à présent d'avoir envoyé promener Kendhal ! Lui aurait su la réconforter, il aurait trouvé les mots qui lui auraient redonné espoir. Ensemble, ils auraient eu une chance de trouver le coupable. Mais, seule, Luna ne se sentait pas la force de démêler tous les fils de cette sombre histoire.

Quelqu'un frappa à la porte, très légèrement, mais suffisamment fort pour attirer son attention. Sans attendre, elle pivota pour aller ouvrir et tomba nez à nez avec Allanéa, une jeune avarielle aux ailes bleu turquoise qu'elle connaissait bien.

— Je sais qu'il est encore très tôt, chuchota la nouvelle venue, mais Cyrielle vient de se réveiller et notre empereur requiert ta présence à son chevet.

— Bien sûr, mais…

Luna jeta un regard hésitant vers la fillette endormie. Allanéa comprit aussitôt.

— Ne t'inquiète pas, je vais rester avec Haydel, lui proposa-t-elle.

Luna la gratifia d'un sourire reconnaissant et se hâta de gagner la chambre de son amie.

À son arrivée, Thyl était assis sur le bord du lit de Cyrielle, mais Luna faillit ne pas le reconnaître, tant il avait les traits tirés, les yeux cernés et le teint blafard. L'épreuve de la veille et le manque de sommeil avaient eu raison de sa virile beauté.

— Oh, Luna, que je suis content que tu sois restée ici cette nuit ! murmura-t-il en se levant.

Le jeune homme la prit dans ses bras pour la serrer contre lui. Ce geste d'affection inattendu déstabilisa Luna, mais elle n'osa l'esquiver de peur de vexer son ami. Fort heureusement, Thyl la libéra presque aussitôt.

— Cyrielle vient de reprendre connaissance, expliqua-t-il en retournant vers le lit, mais son état me préoccupe et je doute qu'elle puisse nous aider à déterminer ce qui s'est vraiment passé dans la salle du parchemin.

— Pourquoi ?

— Elle ne se souvient plus de rien.

« Oh, non, pas ça ! » songea Luna, en serrant les poings.

Après avoir inspiré à fond pour se donner du courage, elle s'assit sur le lit face à Cyrielle et prit sa main glacée dans la sienne.

— Comment te sens-tu ? fit-elle doucement.

— J'ai horriblement mal à la tête.

— Thyl me dit que tu n'as plus aucun souvenir de ce qui s'est passé.

— Hélas non, se lamenta la jeune femme au bord des larmes. Il m'a raconté comment Haydel et toi m'avez trouvée inanimée dans la salle du parchemin. Oh, quelle tragédie ! Dire que tout est ma faute…

Un sanglot étouffé l'empêcha de poursuivre.

— Cyrielle, je ne t'accuse de rien, intervint Thyl. Je sais que tu n'es pas responsable de ce qui est arrivé. Quelqu'un t'a certainement manipulée, en utilisant l'hypnose ou un charme quelconque. Il t'a forcée à ouvrir la porte de la salle et à prendre le parchemin. Il s'en est emparé comme il l'a fait du talisman des elfes de lune.

— Tu crois qu'il s'agit de la même personne ? interrogea Luna.

— Probablement, fit l'empereur en contractant les mâchoires. J'espère que Bromyr va bientôt mettre la main sur ce misérable !

Luna baissa les yeux. Une question lui brûlait les lèvres. Elle ne voulait pas raviver la polémique qui avait scindé le Conseil, mais, n'y tenant plus, elle demanda :

— Tu penses toujours qu'il s'agit d'un drow ?

— Je ne veux tirer aucune conclusion hâtive, soupira Thyl, mais je remarque que pour l'instant le voleur n'a pas cherché à s'emparer de la statuette d'Eilistraée.

— Très juste, mais je te signale que le bouclier des elfes dorés n'a pas non plus été l'objet d'une attaque.

— C'est normal, intervint Cyrielle en essuyant ses yeux. Bromyr se doutait que le malfaiteur ne s'en tiendrait pas à un premier exploit. Il m'avait dit qu'il allait renforcer au plus vite le système de protection de leur talisman. Il m'avait même conseillé d'en faire autant.

Thyl se gratta pensivement le menton.

— Voilà peut-être pourquoi tu t'es rendue dans la salle du parchemin.

— Sans doute, mais je ne me rappelle même plus y être allée. C'est comme si tout un pan de ma mémoire avait été effacé. C'est effrayant.

— Peut-être qu'avec le temps quelques bribes de souvenirs vont te revenir, on ne sait jamais, dit Luna pour la rassurer. Au fait, j'ai entendu dire que Bromyr et toi étiez officiellement chargés de l'enquête. Avez-vous découvert quelque chose d'intéressant ?

Cyrielle haussa les épaules, dépitée.

— Hélas non ! Une fois la séance du Conseil de l'Union elfique levée, nous sommes allés interroger Syrus. Mais tout s'est passé tellement vite qu'il n'a absolument rien vu. Nous

nous sommes rendus à l'endroit précis où l'agression a eu lieu, après quoi nous avons fouillé le salon où le pauvre homme avait été traîné. Mais nous n'avons rien trouvé. Nous nous sommes quittés en nous donnant rendez-vous pour le lendemain. Nous avons passé la journée d'hier à interroger les courtisans qui se trouvaient au mariage pour vérifier s'ils n'avaient rien remarqué d'anormal.

— Et alors?

— Rien! Personne n'a rien vu.

Luna se rendit compte qu'elle était bien plus avancée que son amie, mais elle préféra garder pour elle les quelques indices que son grand-père lui avait fournis. Un détail lui vint à l'esprit.

— Est-ce qu'hier Bromyr t'a raccompagnée à Verciel?

— Bien sûr, confessa la jeune avarielle. Le général est un homme charmant. Il est prévenant, courtois et fort cultivé.

« D'accord, comprit immédiatement Luna. Elle est tombée sous son charme comme je le craignais! »

— Dis-moi, Bromyr était-il avec toi lorsque tu t'es rendue dans la salle du parchemin?

— Absolument pas, rétorqua Cyrielle en arquant les sourcils. En fait, au départ, il ne voulait même pas monter dans la nacelle, mais comme j'ai insisté il a fini par m'accompagner en haut. Il ne l'a pas regretté. Je lui ai fait visiter la ville et son émerveillement faisait plaisir à voir, je te jure. Ensuite, nous avons mangé ensemble et il est reparti en début d'après-midi. Je suis allée m'assoupir un moment et, après, je ne me souviens plus de rien.

Luna hocha la tête avec gravité avant de se tourner vers Thyl.

— Je ne crois pas avoir vu de bassin dans la salle dorée. Comment votre talisman était-il protégé ?

— Notre système de protection n'a en effet plus rien à voir avec la salle du bassin de Nydessim. Le parchemin n'était d'ailleurs plus conservé dans un écrin de diamant comme autrefois. En fait, comme il était en or dans cette pièce toute dorée, il était comme invisible. Il se trouvait au cœur du dôme qui surplombe la salle, à presque six mètres de hauteur.

Luna essayait de visualiser la scène quand l'image de Platzeck lévitant pour récupérer le talisman des drows s'imposa à elle. Mal à l'aise, elle chassa cette idée de son esprit avant de continuer :

— Hum… Hormis le fait que vous soyez les seuls à pouvoir toucher le parchemin, n'y avait-il pas de protections magiques ?

— Si, la porte était verrouillée par un sortilège très puissant octroyé par Abzagal. Seuls Cyrielle et moi pouvions l'ouvrir en touchant l'un des battants.

— Je vois, fit Luna, pensive. Cela signifie que quelqu'un a très bien pu envoûter Cyrielle, la convaincre d'ouvrir la porte et attraper le parchemin pour le mettre dans un sac ou un coffret, par exemple. Après, il a assommé Cyrielle comme il l'avait fait avec Syrus et il est parti avec l'objet sous le bras.

Thyl hocha la tête.

— Ça se tient, mais je ne comprends pas bien l'intérêt de voler nos deux talismans.

— Bromyr a raison ! s'exclama brusquement Cyrielle en se relevant. Le malfaiteur ne va pas s'arrêter là. Il va sûrement essayer de voler le bouclier des elfes dorés.

— Et pourquoi pas la statuette d'Eilistraée ? la coupa Luna.

— Réfléchis, enfin ! insista l'avarielle. Le coupable est forcément un elfe noir qui veut nous affaiblir en s'emparant du pouvoir et qui veut devenir le maître suprême de Laltharils.

Luna fut tellement atterrée qu'elle en resta bouche bée. Elle aurait pu éclater de rire si la situation n'avait pas été aussi dramatique. Comme elle l'avait craint, la crédule Cyrielle avait foncé tête baissée dans les idées réductrices du général. Luna sentit la colère monter en elle, mais elle s'efforça de garder son calme. Elle se tourna vers Thyl et le dévisagea avec sérieux.

— Es-tu du même avis que ta cousine ?

Le jeune homme contracta la mâchoire.

— Je t'avoue que je n'ai pas de réelle opinion. Toute cette histoire me dépasse complètement. Moi, je ne demande qu'une chose, qu'on retrouve le responsable au plus vite et qu'on nous rende nos talismans.

Luna se leva pour partir et déclara :

— Ne t'inquiète pas, Thyl, je vais mener ma propre enquête.

— Ton enquête ! Mais... et nous, alors ! s'insurgea Cyrielle.

Contre toute attente, ce fut Thyl qui la remit à sa place :

— Je crois que tu en as fait suffisamment pour l'instant ! Luna n'en est pas à son premier miracle. Si quelqu'un peut venir à bout de cette énigme, c'est bien elle.

Sans un regard pour Cyrielle, il raccompagna Luna dans le couloir et referma la porte derrière eux. Comme ils étaient seuls, Thyl attrapa les mains de l'adolescente et plongea son regard vert dans le sien.

— Retrouve le parchemin d'or, Luna, je t'en supplie.

— Je vais y mettre un maximum d'efforts. Mais, de ton côté, promets-moi de ne pas accuser les drows sans preuve. Et si tu apprends quoi que ce soit de nouveau, préviens-moi.

— Promis ! jura l'empereur en embrassant les mains de l'adolescente.

Terriblement gênée, Luna s'empressa de retirer ses mains. Elle s'apprêtait à partir quand une dernière question lui vint à l'esprit.

— Au fait, pourquoi n'étais-tu pas le seul autorisé à toucher le parchemin ?

— Abzagal ne souhaitait pas répéter les erreurs du passé. Tu as bien vu les problèmes qu'on a eus quand notre impératrice est morte. Par conséquent, il voulait que nous soyons deux, un homme et une femme, à avoir accès au talisman. Normalement, ça aurait dû être le couple impérial, mais comme je ne suis pas marié… Au départ, je voulais que ce soit ma sœur, Haydel, qui bénéficie de ce privilège. Je me suis ravisé en songeant que ça pouvait s'avérer dangereux pour elle ; elle est encore si jeune !

— Sage décision ! approuva Luna. Et pourquoi Cyrielle ?

— À cause de toi, pardi, déclara-t-il. Tu te souviens, lors de l'inauguration de Verciel, je t'ai dit qu'il me fallait une impératrice, et toi tu m'as aussitôt proposé Cyrielle. Tu l'appréciais déjà beaucoup et c'est vrai qu'elle est très jolie.

— Mais c'est ta cousine, rétorqua Luna.

— En effet. Toutefois, Abzagal a accepté mon choix, n'y voyant rien d'inconvenant. Tu… tu penses que j'ai fait une erreur ?

— Non, Cyrielle est quelqu'un de bien et en plus elle est très gentille avec Haydel. Mais elle est très influençable. Il serait bon qu'elle se repose quelques jours. Cela lui évitera de traîner avec Bromyr. À mon avis, il n'a pas une très bonne influence sur elle.

Thyl ne put s'empêcher de sourire.

— On dirait que tu ne l'aimes pas beaucoup, dis donc !

— C'est vrai. Ses préjugés à propos des drows me sont insupportables. Même si le coupable s'avère finalement un elfe noir, je trouve ridicule et prématuré de les accuser sans preuve.

— Tu n'écartes donc pas l'hypothèse qu'il s'agisse d'un drow ?

— Effectivement, avoua Luna à contrecœur. Bon, je dois y aller, maintenant. Je suppose que ma mère n'est pas encore au courant de ce deuxième drame. Il va bien falloir que quelqu'un le lui apprenne. Elle voudra sans doute réunir le Conseil.

— Quoique… après ce qui s'est passé la dernière fois, elle va sûrement hésiter… Dis, Luna, je voudrais te demander un service.

— Oui ?

— En rentrant à Laltharils, pourrais-tu t'arrêter à Hysparion pour prévenir Kendhal ? Il faut qu'il s'attende à ce que quelqu'un essaie de dérober le bouclier de ses ancêtres.

— Entendu, soupira Luna. Allez, à bientôt et prends bien soin de ta petite sœur. L'agression de Cyrielle l'a vraiment bouleversée. Elle a besoin qu'on la rassure.

— Ne t'inquiète pas, je vais veiller sur elle. En échange, je compte sur toi.

Luna hocha la tête et tourna les talons.

En sortant sur la terrasse supérieure, l'adolescente réalisa que le jour était levé. Le ciel dégagé annonçait encore une belle journée. Le printemps semblait s'être définitivement installé.

En se laissant bercer par les mouvements de la nacelle, Luna songea à Abzagal. C'était la deuxième fois que le dieu dragon était privé de toute communication avec son peuple. Elle se demanda s'il allait chercher à entrer en contact avec elle comme la dernière fois. Peut-être aurait-il des choses intéressantes à lui révéler. Peut-être avait-il même pu voir le malfaiteur. Une soudaine lueur d'espoir s'empara de Luna. Si Abzagal ne venait pas à elle, elle irait à lui. Sa décision était prise. Dès cette nuit, elle essaierait de l'appeler.

D'un pas décidé, elle prit le chemin de la rive ouest, plus sauvage et découpée que la rive opposée. Le sentier serpentait entre la dense végétation et les rochers de granit qui surplombaient les eaux glacées du lac. Par endroits, on avait construit des ponts, à d'autres, on avait taillé à coups de serpe de véritables tunnels dans les buissons de ronces pour éviter mains détours inutiles. Le trajet était plus varié, mais également plus long que celui qui longeait l'autre berge du lac.

Lorsque Luna parvint enfin à Hysparion, elle sentit son ventre gargouiller et se demanda si Kendhal lui proposerait de partager son petit déjeuner. Pour cela, fallait-il d'abord qu'il accepte de la recevoir. Vu la manière dont elle l'avait envoyé promener la veille, ce n'était pas gagné.

La petite ville, dont la construction avançait plus vite que prévu, comptait plus d'un millier d'habitants. L'endroit choisi par Kendhal était fort agréable. Au nord de la plage de galets avait été aménagé un modeste port où attendaient sagement quelques barques. Les maisons en pierre étaient bâties, selon un plan rigoureux, autour du palais qui dominait l'agglomération. L'ensemble était harmonieux, propre et paisible. À cette heure matinale, les artisans n'avaient pas encore rejoint leurs chantiers et les ruelles étaient encore désertes. Luna se glissa en silence dans les rues en savourant ce moment de paix absolue qui contrastait avec l'agitation confuse de la nuit.

Elle se demandait si Thyl avait raison de croire qu'elle trouverait la solution à cette énigme quand, au coin d'une rue, quelqu'un qui arrivait en sens inverse la percuta de plein fouet. Le souffle coupé, elle fut projetée contre la porte d'une maison. L'individu, enveloppé dans une grande cape noire, ralentit à peine sa course, mais il se retourna une fraction de seconde pour la dévisager. Luna eut le temps de voir ses yeux incandescents, luisants dans l'ombre de sa capuche. La silhouette disparut aussi vite qu'elle était apparue.

# 11

« Un drow ! suffoqua Luna. Ces yeux de braise ne peuvent mentir. C'était un drow ! »

Elle s'empressa de se relever, mais une vive douleur aux côtes lui arracha une grimace. Le choc avait été brutal. Tout en se massant la poitrine, elle tenta de rassembler ses esprits. Qu'est-ce qu'un elfe noir faisait au petit jour, courant dans les rues d'Hysparion ? Tout portait à croire qu'il s'enfuyait, même si personne n'était à ses trousses. Luna s'immobilisa. Et si… et si c'était le voleur et qu'il venait de s'emparer du bouclier des anciens ?

« Non, il ne portait rien, se corrigea-t-elle mentalement. J'en suis presque certaine. Mais, alors, que faisait-il là ? »

Luna se demanda si le drow était venu en repérage pour découvrir où se cachait le précieux talisman. Les protections magiques mises en place par Bromyr l'avaient-elles dissuadé de commettre son forfait? Est-ce que quelqu'un avait sonné l'alarme?

Quoi qu'il en soit, cette rencontre fortuite déroutait fortement la jeune fille. C'était un indice supplémentaire qui incriminait des drows. Même si elle ignorait l'identité du fuyard, il était évident qu'il n'avait rien à faire là. D'autre part, son instinct lui disait qu'elle n'aurait jamais dû être témoin de sa présence en ces lieux. Lorsque le drow s'était retourné pour la dévisager, il l'avait certainement reconnue. Pourtant il ne lui avait pas fait de mal. Luna se demanda si elle le connaissait. Était-ce Platzeck?

Luna frissonna et se remit en route vers la grande place circulaire où se dressait la résidence du roi. Il s'agissait plus d'une élégante demeure aux tourelles élancées que d'un véritable château, mais les artisans avaient accompli un véritable miracle en édifiant aussi rapidement un tel bâtiment. Pourtant, aujourd'hui, Luna n'avait pas le cœur à s'extasier devant les exploits architecturaux des elfes de soleil. Elle fonça jusqu'à la porte d'entrée, vérifia si elle était verrouillée et frappa de toutes ses forces.

Lorsque le vasistas qui se trouvait dans un des battants s'ouvrit enfin, le visage austère du majordome apparut.

— Qui va là ? demanda-t-il d'une voix pincée.

— Bien, enfin, c'est moi, la princesse Luna ! s'écria l'adolescente. Laissez-moi entrer, je dois parler au roi. C'est urgent.

— La princesse Luna, hum, voyons voir... Vous aviez rendez-vous ?

La question désarçonna Luna qui resta un instant sans voix. Puis une vague de colère la fit exploser :

— Rendez-vous ? Mais qu'est-ce que c'est que ces histoires ! Vous savez très bien que Kendhal est mon meilleur ami et que je n'ai jamais eu besoin de la permission de quiconque pour le voir. Ouvrez-moi immédiatement !

Mais le majordome ne se laissa pas impressionner.

— Ne bougez pas, je vais voir s'il peut vous recevoir.

Le vasistas se referma brutalement et Luna se retrouva toute seule avec sa rage. Excédée, elle faillit faire appel à sa force mentale pour faire voler la porte en éclats, mais elle se retint en se disant que cela n'améliorerait pas ses relations déjà chaotiques avec Kendhal.

Lorsque, quelques minutes plus tard, le battant s'ouvrit en grinçant, elle se rua à l'intérieur en bousculant le majordome qui l'avait rabrouée. Mais ce n'était pas lui.

— Eh bien, quelle précipitation ! se moqua Kendhal en encaissant le coup.

Luna s'arrêta net et rougit en découvrant sa méprise. Sa fureur retomba d'un coup.

— Pour quelqu'un qui déclarait hier ne plus être mon amie, tu sembles bien pressée de me voir, on dirait ! ironisa-t-il sans cesser de la fixer.

— Oui, désolée... s'excusa Luna, confuse. Ce que je t'ai dit hier n'était pas très gentil, je le reconnais, mais j'étais en colère et mes mots ont dépassé mes pensées. Tu m'en veux beaucoup ?

— Tu m'as tout de même jeté à la porte de chez toi comme un malpropre ! fit Kendhal avec un sourire en coin.

— C'est vrai, mais toi tu me laisses sur le pas de la porte comme une pauvresse. Ce n'est pas vraiment mieux.... J'y pense, tout à coup ! Tu avais tout manigancé avec ton majordome, n'est-ce pas ?

— C'est vrai ! s'esclaffa Kendhal en lui prenant le bras pour l'entraîner vers la salle à manger. Allez, sans rancune ! Pour me faire pardonner, je t'invite à partager mon petit déjeuner.

— J'accepte avec plaisir, mais avant je voudrais te demander si quelqu'un a essayé de s'emparer de votre bouclier sacré.

— Quand ? s'étonna Kendhal en prenant place à la table couverte de mets appétissants.

— Je ne sais pas, cette nuit ou ce matin.

— Non, rassure-toi. Je suis allé vérifier en me levant et le talisman était bien à sa place. Assieds-toi, Luna, je t'en prie.

Elle obéit.

— Et vous n'avez aperçu aucun individu suspect qui se serait introduit dans le palais à votre insu ?

— Non, personne. Comme tu as pu le constater, ma demeure est plutôt bien gardée. Et il y a des protections magiques un peu partout qui se déclencheraient si le moindre intrus s'aventurait à l'intérieur. Pourquoi ces questions ? Aurais-tu vu quelqu'un de louche ?

Luna hésita un instant et préféra mentir pour ne pas inquiéter inutilement son ami.

— Non, c'était juste comme ça.

Ils s'observèrent un moment en silence.

Luna ne put s'empêcher de remarquer l'élégance du jeune roi. Son surcot grenat en soie damassée et brodée de fils d'or était magnifique. Avec ses cheveux détachés qui cascadaient sur ses épaules, il était vraiment beau.

En faisant ce constat, l'adolescente se sentit mal à l'aise. Elle venait de se rendre compte qu'elle portait toujours les vêtements qu'elle avait enfilés à la hâte lorsque Assyléa était venue la tirer du lit, une tenue avec laquelle elle avait dormi deux fois. Elle n'avait même pas pris le temps de se coiffer.

— Dis donc, tu as de petits yeux, toi ! déclara Kendhal en mordant à pleines dents dans une crêpe nappée de sirop d'érable. Tu as passé la nuit à faire la fête, ou quoi ? Si c'est le cas, ce n'était pas très sympa de m'oublier !

Stupéfaite, Luna lâcha le gâteau qu'elle venait de prendre et fixa le jeune roi avec froideur.

— Le parchemin d'or des avariels a disparu, fit-elle, laconique.

Kendhal cessa aussitôt de mastiquer et leva des yeux surpris vers son amie. Cette fois, ce fut à son tour de rougir violemment. Mais la jeune fille décida de lui asséner le coup de grâce.

— C'est Haydel qui a trouvé le corps de Cyrielle inanimé. Génial, non ? Du coup, j'ai décidé de passer la soirée et la nuit là-bas. L'ambiance était vraiment trop bien. Tout le monde courait dans tous les sens, pleurait et criait. Une panique d'enfer ! Tu aurais dû venir, je n'ai jamais vu de fête aussi réussie !

Elle quitta brusquement la table et disparut dans le couloir, trop en colère pour rester une minute de plus face à Kendhal. Mais elle percuta de plein fouet le général Bromyr qui entrait au même moment dans la pièce.

— Eh bien, princesse ! que nous vaut l'honneur de cette visite éclair ? s'enquit-il.

— Cyrielle a été attaquée et le talisman des avariels a été dérobé. Mais cela ne doit guère vous surprendre, puisque vous l'aviez prévu, n'est-ce pas ?

Le général, livide, ne répliqua pas, pétrifié par l'effroyable nouvelle.

— Ta mère est au courant ? demanda Kendhal en se précipitant dans leur direction.

— Pas encore. Thyl pensait qu'il valait mieux que je passe d'abord vous avertir avant de retourner à Laltharils. Mais j'aurais sans doute dû prendre tout mon temps pour me faire belle, me coiffer, me maquiller, me parer, me parfumer, me…

— C'est bon ! la coupa Kendhal. Désolé, je ne pouvais pas savoir.

— Ta remarque était très déplacée, rétorqua froidement la princesse.

Le général qui semblait avoir retrouvé ses esprits mit un terme à leurs chamailleries en demandant d'une voix grave :

— Thyl pense que notre talisman est le prochain sur la liste, n'est-ce pas ? C'est pour cela qu'il tenait à ce que vous passiez d'abord nous voir.

— Exactement. D'après lui, vous devriez renforcer au maximum la surveillance de votre bouclier, si ce n'est déjà fait, bien entendu.

— Soupçonne-t-il quelqu'un ? A-t-il découvert quelque chose ? voulut savoir Bromyr.

— Absolument rien qui accuse les drows, si c'est ce que vous voulez savoir ! Mais, au cas où vous vous inquiéteriez pour votre collaboratrice, sachez que Cyrielle ne souffre que d'un léger mal de tête. Il semble qu'elle ait été victime d'un sort d'amnésie, mais je gage qu'elle retrouvera bien vite la mémoire. C'était vraiment gentil à vous de vous inquiéter de son état !

Le général resta bouche bée un long moment, oubliant même de respirer. Quand il sembla enfin refaire surface, il demanda :

— Se souvient-elle de quelque chose ? Un indice qui nous mettrait sur la voie ?

— Pas grand-chose pour le moment, mais si ses souvenirs reviennent je ne manquerai pas de vous le faire savoir !

Laissant le général à ses pensées, Luna le contourna et fila jusqu'à la porte d'entrée.

— Attends ! s'écria Kendhal en courant derrière elle. Ne t'en va pas, attends !

La jeune fille ravala sa fureur et fit volte-face.

— Quoi encore ? fulmina-t-elle, la main déjà sur la poignée de la porte.

Kendhal l'observa un instant, l'air confus. Il cherchait visiblement ses mots pour ne pas commettre de nouvel impair.

— Je vais aller rendre visite à Thyl et à Cyrielle pour les assurer de notre soutien. Si je peux faire quoi que ce soit pour eux, je le ferai.

— Je pense qu'ils apprécieront, fit sèchement Luna.

— Et moi, je vais aller rendre une petite visite à Edryss ! gronda Bromyr dans leur dos. Il est temps que quelqu'un donne un coup pied dans cette fourmilière une bonne fois pour toutes !

Luna sursauta. Elle s'apprêtait à rembarrer le général quand Kendhal lui coupa l'herbe sous le pied.

— Ça suffit, Bromyr ! Tu n'iras nulle part. Tu as entendu Luna ? Le voleur va sans doute chercher à s'emparer de notre talisman. À partir de maintenant tu ne le quitteras plus des yeux.

— Mais… et mon enquête ? croassa le général, éberlué.

— N'aie crainte, à partir d'aujourd'hui je m'en charge personnellement. Désormais, je t'assigne à la surveillance exclusive du bouclier des anciens. Si, par malheur, il venait à disparaître, je t'en tiendrai personnellement responsable. C'est compris ?

— Bien, Majesté, grinça Bromyr entre ses dents avant de tourner les talons et de disparaître dans la cage d'escalier.

Kendhal et Luna se dévisagèrent en silence.

— Quelle autorité ! fit soudain l'adolescente en esquissant un vague sourire.

Comme l'elfe de soleil se contentait de hausser les épaules, elle ajouta :

— Comme ça, c'est toi qui prends l'enquête en main !

— Comme de toute façon j'avais prévu de le faire, autant que ce soit officiel tout de suite.

Luna approuva en hochant la tête avec gravité.

— Accepterais-tu une partenaire, ou préfères-tu faire cavalier seul ?

Kendhal fit mine de réfléchir. L'air grave, le front plissé, il finit par répondre :

— Une partenaire lunatique, susceptible, explosive et coiffée comme un courant d'air ? Je crois que je ne pourrais pas rêver mieux !

Cette fois Luna éclata de rire et lui tendit la main :

— Tope là ! Tu vas voir, nous allons faire une équipe de choc. Mais avant il faut absolument que j'aille annoncer la tragique nouvelle à Ambrethil.

— On se retrouve chez toi en fin d'après-midi ? proposa le jeune homme en serrant la main de Luna avec chaleur.

— Entendu !

— Dis, tu n'as presque rien mangé. Tu ne voudrais pas emporter quelque chose ?

— Non, merci, c'est gentil, répondit-elle en ouvrant la porte.

Elle lui lança un franc sourire et dévala les marches du manoir.

Près d'une demi-heure plus tard, la princesse escaladait enfin le parvis du palais de Laltharils. Sans attendre, elle courut jusqu'à la chambre de sa mère. Le lit était défait. Les draps froissés et froids laissaient supposer qu'Ambrethil s'était réveillée tôt. Luna fila à la salle à manger, mais sa mère semblait déjà avoir pris une collation. Elle se précipita au salon. Celui-ci était également désert. Dépitée, elle prit le temps de réfléchir. Où Ambrethil pouvait-elle bien être, à cette heure ? Au chevet de Syrus ? Dans la salle du trône ?

Elle s'interrogeait encore lorsque la vieille Lytarell apparut dans l'embrasure d'une porte, une somptueuse robe de bal tout juste repassée sur les bras. L'ancienne gouvernante d'Ambrethil toisa Luna avec un mépris mal dissimulé. Elle n'avait jamais digéré que l'adolescente remette en cause son éducation au point de la renvoyer. Même si Ambrethil l'avait reprise à son service personnel, Lytarell ne supportait pas l'idée que personne n'inculque à cette petite sauvageonne les rudiments du savoir-vivre et du protocole. C'était tout simplement inacceptable.

— Savez-vous où est ma mère ?

Lytarell hésita, mais finit par hocher la tête.

— Dans la bibliothèque, dit-elle lentement, comme à contrecœur.

Sans même un merci, Luna se rua vers la porte qu'elle fit claquer dans son dos.

— Une vraie princesse ne court pas ! lui cria la vieille servante, outrée par tant d'entorses aux règles de la bienséance.

Mais Luna ne l'entendit pas. Elle s'engouffra dans le large escalier qui menait à l'étage inférieur. La bibliothèque se trouvait en effet au premier, de façon à être accessible à tous les elfes argentés désireux de s'instruire. Elle poussa la porte à la volée et pénétra dans la vaste pièce.

— Ah, maman, enfin ! soupira-t-elle en découvrant sa mère penchée sur la lourde table de travail, le nez dans un énorme livre couvert de poussière. Je te cherchais partout.

Ambrethil se retourna, surprise. Autour d'elle se tenaient six sages, anciens conseillers d'Hérildur, dont le vénérable Syrus, installé dans un fauteuil.

— Luna ? fit la reine, le visage grave. C'est à cette heure-là que tu rentres ! Je peux savoir où tu as passé la nuit ?

Mais l'adolescente ne se démonta pas. Elle savait qu'elle avait la meilleure excuse du monde et que ce qu'elle allait annoncer à sa mère suffirait à apaiser sa colère froide.

— J'étais à Verciel, avec Thyl. Quelqu'un a agressé mon amie Cyrielle et dérobé leur artefact sacré. Le parchemin d'or a disparu.

À ces mots, Ambrethil chancela et dut prendre appui sur un des fauteuils disposés autour de la table massive. Les sages blêmirent et échangèrent des regards où se lisait la panique.

— C'est bien ce que je craignais ! gémit Syrus en cachant ses yeux fatigués de sa main. La prophétie est en train de s'accomplir.

— De quelle prophétie parlez-vous, maître Syrus ? s'enquit Luna en pâlissant à son tour.

Ambrethil mit un bras protecteur sur l'épaule de sa fille et l'invita à prendre place sur l'un des fauteuils libres. Elle s'assit face à elle et expliqua :

— Sache qu'hier, à la suite de notre Conseil houleux, j'ai fait appel aux sages pour obtenir des réponses à mes questions. Personne ici ne connaît mieux qu'eux le contenu de tous ces grimoires et autres parchemins ancestraux. Je voulais savoir si par le passé une telle catastrophe s'était déjà produite et si nous avions un autre moyen d'entrer en contact avec l'esprit de notre forêt.

— Ont-ils trouvé quelque chose ?

Ambrethil acquiesça en silence.

— Syrus va tout t'expliquer.

Luna se tourna vers son ancien professeur d'elfique.

— J'ai découvert, dans un très ancien recueil de prophéties, un quatrain dont la signification nous avait jusque-là échappé, mais qui, hélas ! semble se rapporter aux tragiques événements qui secouent notre communauté.

— Que dit-il ? demanda Luna, le cœur battant.

— Je vais te le traduire, car il est écrit en elfique de l'âge d'or. Dans notre langue, cela donne à peu près cela :

*Lorsque les fraternités unies*
*Leurs emblèmes sacrés perdront*
*Volés par un unique ennemi*
*Mille maux sur elles s'abattront.*

Luna se pétrifia. C'était comme si son sang s'était mué en une eau glacée qui paralysait tout son corps. Ce fut sa mère qui la ramena à la réalité.

— Nous ignorons encore si cette prophétie nous concerne vraiment, mais tout porte à croire que, si quelqu'un s'empare de nos quatre talismans, un très grand malheur s'abattra sur nous. Peut-être ces objets possèdent-ils un pouvoir que nous ne connaissons pas. Est-ce que tu as prévenu Kendhal ?

— Oui, fit Luna, juste avant de venir ici. Il a ordonné à Bromyr de veiller nuit et jour sur le bouclier.

— Parfait ! Maintenant, il faut absolument prévenir Edryss. Si jamais la statuette sacrée tombe entre les mains de ce criminel, la prophétie risque de s'accomplir, pour notre plus grand malheur.

— Je m'en charge ! déclara Luna en se levant promptement.

Mais, réalisant un détail, elle fixa Ambrethil avec attention.

— Cela signifie-t-il que tu ne soupçonnes pas un drow d'être à l'origine de ces deux vols ?

— Personne ne peut savoir qui a commis ces terribles forfaits, décréta la reine avec gravité. Il peut s'agir de n'importe qui, même d'un elfe de lune.

Les sages sursautèrent et ne purent retenir quelques protestations étouffées, mais ils n'osèrent pas contredire ouvertement leur souveraine.

— Je pense exactement la même chose, fit Luna, déjà sur le pas de la porte. Puisque Cyrielle est alitée et que Bromyr est très occupé, Kendhal et moi allons nous charger de mener l'enquête... sans négliger la moindre piste.

Elle adressa un sourire entendu à sa mère et quitta la bibliothèque pour se rendre à Eilis.

# 12

Lorsqu'il pénétra dans la taverne enfumée, Quaylen sentit son cœur tambouriner dans sa poitrine. Le prêtre de Naak lui avait fait un grand honneur en lui confiant cette mission délicate. Il n'avait pas le droit d'échouer.

L'après-midi ne faisait que commencer et l'endroit était déjà bondé. Des drows pour la plupart, discutant affaires, complotant derrière leurs larges capuches, ourdissant quelque complot destiné à supprimer un adversaire trop puissant ou un allié devenu gênant. Telle était la nature profonde des elfes noirs : l'influence de la déesse araignée avait radicalement transformé leur peuple, au point que la cupidité, la trahison et la violence étaient considérées comme des vertus indispensables pour réussir.

Mais bientôt Naak saperait les fondations de cette société corrompue pour la transformer en profondeur. Fini l'absolutisme des impitoyables matriarches, finie la suprématie d'un clergé sadique, finies les sanglantes vendettas entre maisons ennemies. Sous l'influence du dieu scorpion, Rhasgarrok prendrait un autre visage, basé sur la solidarité entre gens du même sang. Les drows réunifiés entreraient en guerre contre tous ceux qui souillaient leur sol. L'exil ou la mort seraient les seuls choix que les elfes noirs offriraient aux autres races de la cité souterraine.

Le cœur gorgé d'espoir, Quaylen s'avança dans la taverne et contourna une table où était assise une joyeuse troupe de gobelins aux faces mangées par la couperose. Ils trinquaient bruyamment en faisant déborder leurs chopines de bière. L'un d'eux entamait une chanson grivoise quand Quaylen s'éloigna en serrant les dents. Cette engeance dégénérée n'avait rien à faire dans sa ville. Si cela n'avait tenu qu'à lui, il aurait tranché leurs têtes disproportionnées sur le champ, mais les ordres étaient clairs : ne pas agir de façon personnelle et précipitée, attendre le signal suprême. En outre, Quaylen était là pour rencontrer un indicateur en toute discrétion ; inutile de se faire remarquer en faisant un esclandre.

Le drow à la démarche féline se glissa entre les clients avinés pour atteindre le bar. C'était là que son informateur, ou plutôt son informatrice, devait l'attendre. D'après l'homme qui avait servi d'intermédiaire, la femme cherchait à voir au plus vite un des responsables de la secte afin de lui faire des révélations extrêmement importantes au sujet de la grande prêtresse. Le grand maître de Naak avait chargé Quaylen de la rencontrer.

Dès qu'il la vit, Quaylen sut que c'était elle. Derrière un voile qui ne laissait apparaître que ses yeux de braise, elle le regardait avec une intensité dévorante qui l'aurait presque fait rougir, s'il n'avait préféré ses homologues masculins.

Quaylen lui rendit son regard et, sans la quitter des yeux, fit le tour du comptoir pour arriver jusqu'à elle. Là, il la dépassa sans un mot et fila droit vers une porte de service dissimulée dans l'ombre au fond de la taverne.

Quelques instants plus tard, la mystérieuse femme laissa une pièce d'or sur le bar pour payer sa consommation et disparut à son tour derrière la porte dérobée.

Personne ne semblait les avoir remarqués.

Ylaïs s'engagea dans le couloir étroit en se demandant où était passé l'homme qu'elle était censée rencontrer. Les murs étaient percés de portes de chaque côté, mais une seule laissait filtrer un rai de lumière. Elle l'ouvrit sans hésiter, mais s'immobilisa en découvrant que le drow l'attendait juste derrière. Sur la défensive, elle recula, prête à lui jeter un sort, mais l'homme, souriant, l'invita à entrer dans le salon et tira le verrou afin que personne ne vienne les déranger.

— Tu avais peur d'être tombée dans un traquenard ? demanda-il en s'installant dans un des fauteuils.

— On n'est jamais trop prudent, répliqua la jeune femme en s'asseyant à son tour, toujours sur ses gardes.

— Comme ça, tu souhaitais t'entretenir avec un des dirigeants de la secte de Naak.

— Es-tu l'un d'entre eux ?

— Ici c'est moi qui pose les questions ! fit sévèrement Quaylen. Comment t'appelles-tu ?

Ylaïs plissa les yeux, circonspecte. Elle s'attendait à affronter un prêtre encapuchonné ou un guerrier cuirassé. Avec ses cheveux blonds délicatement nattés et parfumés, ses traits fins et sa tunique scintillante, ce garçon avait plutôt l'allure d'un troubadour. Elle aurait bien tenté une incursion mentale pour sonder son esprit, mais elle ne souhaitait pas éveiller ses soupçons.

— J'attends !

— Je m'appelle Ylaïs et je vis au monastère. Je suis une prêtresse de Lloth.

À ces mots, le sang de Quaylen ne fit qu'un tour. Il bondit de son siège. Une dague effilée sortie de nulle part luisait déjà entre ses mains. Cette fois, ce fut au tour d'Ylaïs de sourire.

— Inutile de brandir ainsi ton arme, se moqua-t-elle. Si j'étais venue pour te tuer, tu serais déjà mort.

— Que veux-tu donc, maudite prêtresse? gronda le drow sans ranger sa lame.

— Ne me maudis pas trop vite, jeune homme, répliqua Ylaïs d'une voix suave. Seule une prêtresse pourra t'apprendre ce qui se passe réellement derrière les hauts murs du monastère. Et il se trouve que je sais beaucoup de choses sur matrone Sylnor.

Quaylen dévisagea la femme. Elle était très belle, comme toutes les servantes de la déesse araignée, mais la beauté féminine ne l'avait jamais ému. Son charme n'opérait donc pas sur lui. Peut-être était-ce justement la raison pour laquelle on lui avait confié cette mission. Il décida de pousser la drow dans ses derniers retranchements.

— Pardonne mon scepticisme, mais je suis un peu surpris qu'une adepte de Lloth vienne de son plein gré trahir sa maîtresse. Que nous vaut ce revirement mystique?

— La haine, confessa Ylaïs, les yeux brillants de colère. Tu parles de trahison, mais c'est moi qui viens d'être trahie par celle que je croyais mon amie. Matrone Sylnor avait promis de me nommer première prêtresse, mais elle a finalement choisi l'une de mes pires ennemies. Ma place n'est plus au monastère. J'ai décidé de renier l'araignée en offrant mon savoir à ceux qui la détestent autant que moi.

Une vague de satisfaction envahit le drow. Si cette femme lui faisait de croustillantes révélations, nul doute que le grand maître serait fier de lui. Peut-être lui accorderait-il même une promotion ou ses faveurs.

— Et qu'as-tu donc de si intéressant à m'apprendre ?

— Désolée, mais je n'ai pas pour habitude de m'adresser aux sous-fifres. Je ne parlerai qu'à ton grand prêtre. Conduis-moi jusqu'à lui et je lui confierai tout ce que je sais.

Mortifié par l'insulte, Quaylen faillit gifler l'impudente. Ah ! Comme il en avait assez de toutes ces femelles qui se croyaient supérieures aux mâles ! Il était grand temps que Naak leur fasse ravaler leur superbe, à toutes ces garces prétentieuses. Pourtant, il parvint à se maîtriser et contint sa colère.

— Tu crois vraiment que je vais t'accorder ma confiance aussi facilement ? rétorqua-t-il sèchement. Qui me dit que tu ne joues pas un double jeu ? Qu'est-ce qui me prouve qu'une fois devant mon maître tu ne chercheras pas à l'assassiner ?

— Tu n'as qu'à sonder mon esprit, le défia Ylaïs.

— Soit ! Mais sache que nul ne peut tromper le scorpion, déclara le drow avec un sourire plein de morgue.

Ylaïs ferma les yeux, prête à subir l'intrusion mentale.

Le jeune homme se rua sans attendre dans la brèche qu'elle lui avait volontairement ouverte. Il lut toute sa colère d'avoir été évincée au profit de sa rivale, sa rage d'avoir été trahie par celle en qui elle croyait, sa haine envers la déesse qui l'avait abandonnée. Pas de doute, cette drow cherchait bien à se venger. Mais, non content de ce qu'il venait de découvrir, Quaylen chercha à en savoir plus. Il se concentra et força les barrières que la drow avait tenté de lui imposer. Tout ce qu'il entraperçut au sujet de la grande prêtresse lui donna le tournis. Cette Ylaïs était une vraie mine d'or.

Lorsque la jeune prêtresse revint à elle, elle était allongée dans une petite cellule. Comprenant qu'elle avait été dupée par le drow, elle pesta intérieurement. Elle se releva, mais un violent vertige la cloua sur la banquette. Quand, un peu plus tard, elle parvint enfin à s'asseoir, son estomac protesta et elle dut serrer les dents pour retenir un haut-le-cœur. Elle reconnut là un des effets secondaires du pavot et enragea contre son manque de clairvoyance. Elle n'avait pourtant pas souvenir d'avoir absorbé quoi que ce soit, hormis un verre de vin au bar. Prise d'un doute, elle inspecta ses bras puis son cou et sentit une petite boule douloureuse juste sous la nuque. Ce misérable avait dû utiliser un dard empoisonné pour l'endormir.

Ylaïs poussa un cri de colère. Comment avait-elle pu se faire piéger comme une novice ? Elle s'attendait pourtant à ce que le renégat se méfie d'elle et doute de ses confidences. C'était même pour cette raison qu'elle lui avait laissé lire ses pensées. Enfin, une partie bien sûr. En tant que prêtresse expérimentée, il lui était si facile de cloisonner son esprit, d'y cacher sciemment des mensonges, tout en gardant l'essentiel parfaitement dissimulé ! Cet imbécile avait dû jubiler en croyant découvrir ce qu'elle avait bien voulu lui laisser apercevoir. Mais pourquoi dans ce cas l'avait-il droguée et emprisonnée ?

Un doute l'assaillit. Avait-elle fait l'erreur de sous-estimer son adversaire ? Ce drow cachait peut-être bien son jeu, sous ses allures de ménestrel efféminé. Avait-il su déjouer ses manigances et briser toutes ses protections mentales pour mettre au jour ses véritables projets ?

Une vague de panique commençait à submerger Ylaïs, lorsque le loquet métallique de la porte grinça. Elle se contracta, prête à bondir, mais toute sa fureur retomba d'un coup en découvrant l'ancienne intendante du monastère. Muette de stupeur, elle fut incapable de prononcer la moindre parole. Dame Klarys entra dans la cellule, un sourire aux lèvres.

— Tu sembles surprise de me revoir, on dirait ? fit-elle en s'approchant de la jeune femme. Moi aussi j'ai été étonnée par les révélations que nous a faites Quaylen, tu sais, le jeune homme qui a sondé ton esprit. C'est tout de même incroyable ! Si on m'avait dit un jour que toi tu renierais la déesse, je ne l'aurais jamais cru.

— C'est pourtant ce que j'ai fait, rétorqua l'autre, acerbe. Je n'ai pas supporté de voir cette idiote de Sylnor nommer quelqu'un d'autre que moi pour la seconder.

— Qui a-t-elle choisi ?

— Caldwen, inventa Ylaïs, soudain prise de court.

— Caldwen, hein ? répéta dame Klarys en offrant à son interlocutrice une expression indéchiffrable. Eh bien, on aura tout vu…

— Et toi, comment as-tu atterri dans la secte de Naak ?

Dame Klarys haussa les épaules d'un air résigné.

— Pour les mêmes raisons qui t'ont poussée à venir frapper à notre porte. J'étais persuadée que matrone Zélathory me nommerait première prêtresse. Lorsqu'elle a été assassinée, tous mes espoirs se sont effondrés. Je savais que Sylnor me haïssait et qu'elle chercherait à me supprimer. J'ai donc pris les devants en m'enfuyant du monastère. C'est presque par hasard que je suis tombée sur des membres de la secte. Je n'ai pas hésité à renier la déesse afin d'être initiée au culte de Naak.

— Et tu as intégré leur clergé.

— Impossible ! Le grand maître ne s'entoure que de prêtres. Mais mes révélations et mes charmes ne l'ont pas laissé insensible… Nous sommes à présent très proches, lui et moi.

— Je ne comprends pas bien. Tu fais partie de la secte, ou non ? insista Ylaïs qui cherchait à en savoir davantage.

— J'ai survécu à l'épreuve initiatique de la piqûre du scorpion comme tous les membres, mais je n'officie pas aux cérémonies. Le clergé de Naak est exclusivement masculin.

Devant la grimace éloquente d'Ylaïs, dame Klarys ajouta :

— Rassure-toi, les femmes sont les bienvenues. Et, pour te le prouver, le grand maître m'a envoyée te chercher. Il a hâte d'écouter tes confessions.

— Et à moi, il me tarde de le rencontrer, ajouta Ylaïs en se levant pour suivre l'ancienne intendante du monastère.

Après un long trajet dans des tunnels sombres et humides, les deux femmes empruntèrent finalement un escalier à vis et débouchèrent dans un hall. Dame Klarys se dirigea vers la droite et ouvrit une lourde porte bardée de plaques métalliques. Elle invita Ylaïs à entrer et referma la porte derrière elles sans un bruit.

Vaste et vide, hormis l'énorme cheminée dans laquelle brûlait un tronc entier, la salle dégageait une impression d'austérité. Ylaïs frissonna en découvrant six colosses cuirassés et armés comme pour partir à la guerre qui se tenaient de chaque côté d'une sorte de trône. Sur le majestueux siège, un drow à la chevelure de feu la contemplait. À sa gauche se tenait le jeune homme qui l'avait droguée.

— Approche, Ylaïs, lui fit le grand maître d'une voix douce. Mon ami Quaylen ici présent m'a dit que tu avais des révélations intéressantes à me faire. J'ai hâte de les entendre.

La prêtresse hocha la tête et s'avança. Elle se fit la remarque que le grand maître était singulièrement beau et que dans ses yeux brillait une lumière hypnotique. Elle déglutit, d'autant plus mal à l'aise de se trouver là qu'elle sentait le poids des regards de dame Klarys et de ce Quaylen fixés sur elle. Elle allait devoir jouer serré.

Lorsque le chef des rebelles reprit la parole, son ton s'était imperceptiblement durci.

— Sache que, si ce que tu m'apprends se révèle digne d'intérêt, tu obtiendras le droit de te présenter devant le scorpion qui t'initiera à notre secte. Sinon, je ne donne pas cher de ta peau…

Ylaïs se racla la gorge, intimidée par le charisme évident de cet homme. De jouer son rôle serait plus difficile que prévu, mais elle devrait pourtant se montrer convaincante.

— Les informations que j'ai à te communiquer concernent essentiellement Sylnor. Depuis qu'elle m'a trahie en nommant Caldwen, ma rivale, première prêtresse, je n'ai plus aucun respect pour elle et encore moins pour sa déesse. Que les démons des enfers rongent leur âme damnée ! Dès que j'ai appris l'existence de votre secte, j'ai vu là l'occasion inespérée d'assouvir ma vengeance et je n'ai eu de cesse d'essayer d'entrer en contact avec vous.

— Maintenant que c'est chose faite, je t'écoute.

— Je crois que vous savez déjà que la maîtresse de Rhasgarrok est fort jeune. Elle n'a en réalité qu'une douzaine d'années. Son père était jadis l'invocateur de matrone Zesstra, un certain Elkantar And'Thriel, et sa mère, la princesse Ambrethil, n'est autre que la reine des elfes de lune. Sylnor est donc une…

— Une sang-mêlé, je sais. Ma chère Klarys m'a déjà appris ces quelques détails, l'interrompit-il en jetant un coup d'œil à sa complice. J'espère pour toi que tu en as davantage à me révéler.

— Bien sûr. Vous serez sans aucun doute étonné d'apprendre que, contrairement aux autres matrones qui ont gouverné notre cité avant elle, Sylnor peine à maîtriser les trois pouvoirs que lui a offerts Lloth le jour de son intronisation. Elle passe le plus clair de son temps à s'entraîner sans aucun résultat probant. En d'autres termes, la puissance de Sylnor est loin d'égaler celle de matrone

Zélathory ou de matrone Zesstra. Inutile de vous préciser qu'elle est d'une humeur massacrante et que la colère de la déesse électrise tout le monastère.

Le large sourire qui se dessina sur le visage parfait du drow la poussa à continuer.

— Par ailleurs, Sylnor a appris que ses patrouilles avaient été décimées par vos hommes. Elle commence à comprendre qu'elle est entourée d'ennemis et qu'elle n'est pas de taille à s'imposer. Elle sait qu'en cas de coup d'État personne ne viendra à son secours. Cette prise de conscience la mine. Voilà quatre jours qu'elle se terre dans sa chapelle privée sans s'alimenter, refusant tout contact, comme si elle attendait que l'inéluctable se produise.

À présent, le grand maître rayonnait. Il ricana :

— Eh bien ! au moins, on ne peut lui reprocher une certaine lucidité, à cette pauvre enfant ! Pour un peu, on aurait presque pitié d'elle.

— Pitié de Sylnor ? s'insurgea Ylaïs. Ça, jamais ! Ne vous fiez pas à son jeune âge. Elle n'éprouve aucun remords à pratiquer la torture. Elle excelle même dans l'art de tourmenter les malheureux qui remplissent ses geôles. Cette gamine serait capable d'écorcher sa mère à mains nues et de lui arracher le cœur sans aucune hésitation. Son plus grand désir est précisément de retrouver sa sœur pour lui faire subir les pires atrocités. Sylnor est un monstre de sadisme et de cruauté, incapable de la moindre compassion, croyez-moi.

— Je n'en doute pas un seul instant, mais grâce à Naak le règne des matrones ne sera bientôt plus qu'un mauvais souvenir.

— Vous comptez attaquer le monastère? s'enquit Ylaïs, le cœur battant.

Le grand maître s'apprêtait à répondre, quand un toussotement l'en empêcha. Dame Klarys venait de se poster près du trône, interrompant une conversation qui devenait pourtant très intéressante au goût d'Ylaïs.

— Sauf votre respect, se permit-elle en s'inclinant devant son maître, avant d'aller plus loin, je pense qu'il serait bon de statuer sur le sort que nous allons réserver à notre amie. Je propose qu'Ylaïs aille attendre quelques instants dans le hall en compagnie de nos charmants gardes du corps, le temps que nous délibérions.

Si le prêtre de Naak parut surpris ou contrit de cette intervention inopinée, il n'en montra rien et congédia aussitôt Ylaïs qui n'eut d'autre choix que de suivre les six colosses dans le vestibule. La jeune femme enrageait de n'avoir pu en apprendre davantage, mais elle ne doutait pas que ses mensonges aient excité la convoitise du grand maître. Il aurait sans aucun doute envie d'en savoir plus. Même si Ylaïs appréhendait l'épreuve de la « piqûre du scorpion », comme dame Klarys l'avait appelée, elle savait qu'elle touchait au but. Dans peu de temps, elle découvrirait les véritables projets de la secte et profiterait de la première occasion pour rentrer au monastère faire son rapport à matrone Sylnor, qui n'aurait d'autre choix que de la nommer première prêtresse.

Au cœur du repère secret de la confrérie de Naak, devant l'immense cheminée de la salle du trône, le grand maître observait Klarys avec attention.

— Pourquoi avoir interrompu cette conversation, très chère ? Les révélations de cette prêtresse étaient fort instructives ! De savoir que matrone Sylnor a compris que nous représentions une menace pour sa sécurité au point de ne plus quitter sa chapelle m'a redonné espoir en notre combat. Et toi, Quaylen, qu'en penses-tu ?

Le drow aux manières efféminées s'empressa de répondre :

— Je suis tout à fait d'accord avec vous, grand maître. Ce qu'Ylaïs vous a révélé correspond en tout point à ce que j'ai lu dans son esprit. Il ne fait nul doute qu'elle a dit la vérité. Je pense que nous pouvons lui faire confiance.

— C'est aussi mon avis. Cette jeune femme fera une recrue de choix. Nous allons l'initier au plus vite. Pourquoi pas ce soir ou demain matin ? Qu'en penses-tu, Klarys ?

Le visage fermé de l'ancienne intendante du monastère n'augurait rien de bon. Lorsqu'elle se décida à parler, sa voix était glaciale.

— J'avoue que les paroles de cette femme sont exactement celles que vous aviez envie d'entendre. Hélas ! j'ai bien peur que tous ses soi-disant secrets ne soient qu'un tissu de mensonges.

Le grand maître blêmit, alors que Quaylen protestait avec véhémence :

— Je te jure, Klarys, que j'ai fouillé son esprit et que j'y ai lu exactement les mêmes…

— Que tu es naïf, mon pauvre Quaylen ! Ylaïs a toujours été l'une des plus douées en occlumancie. Elle sait fragmenter ses pensées et créer des barrières mentales infranchissables.

— Mais j'ai réussi à pénétrer dans les zones qu'elle protégeait.

— Absolument pas ! Je la connais suffisamment pour savoir qu'elle t'a simplement fait croire que tu avais pu déjouer ses protections. Elle t'a manipulé.

— C'est faux ! s'offusqua Quaylen. Tu es jalouse, c'est tout !

— Absolument pas ! aboya Klarys. Ylaïs n'est qu'une fieffée menteuse !

— Ça suffit ! gronda le grand maître, agacé. Klarys, peux-tu m'expliquer ce qui te fait douter de sa sincérité ? Même si Quaylen n'a pas sondé tout son esprit, cette fille a peut-être dit la vérité. Après tout, son histoire semble parfaitement crédible.

— À un détail près.

La phrase, pour laconique qu'elle fût, jeta un froid dans la grande salle vide. Un silence pesant plomba l'ambiance.

— Caldwen n'a jamais été nommée première prêtresse.

Les deux hommes, abasourdis, retinrent leur souffle.

— La vérité, c'est que matrone Sylnor a confié une mission à chacune de ses trois meilleures prêtresses et celle qui s'en acquittera en premier obtiendra ce poste clé. À ce jour, personne n'a encore été nommé.

— Comment sais-tu tout cela ? interrogea le chef des rebelles, de plus en plus perplexe.

— La mission de Caldwen était de me retrouver. Elle a failli réussir. Je l'ai tuée ce matin même, après qu'elle soit passée aux aveux.

— Et quelle est la mission d'Ylaïs ?

— Intégrer notre secte afin de la démanteler.

Ces quelques mots firent l'effet d'une bombe dans l'esprit du grand maître. Rouge de fureur, il se leva d'un bond pour se précipiter vers la porte.

— Satanée prêtresse, rugit-il, je vais l'étriper personnellement !

Mais Klarys s'élança et attrapa son bras.

— Non, attendez ! Je crois que j'ai une bien meilleure idée…

# 13

Le soleil se couchait, déversant son or liquide sur la surface mordorée du lac. Il y avait bien longtemps que Luna n'avait savouré un spectacle aussi magique. Enveloppée dans une étole de soie, elle goûtait la quiétude du crépuscule.

— C'est magnifique, n'est-ce pas ? murmura Kendhal dans son dos.

— Oui, je ne me lasse pas de cette vue. Ça fait du bien de se laisser bercer par toute cette douceur. Surtout après la journée qu'on a eue…

— C'est vrai, approuva le jeune roi en s'appuyant à son tour sur le parapet de la terrasse. Tu sais, ta mère a eu une excellente idée en nous invitant à manger ce soir, juste les quatre souverains et toi.

— Elle avait également invité nos jeunes mariés, mais apparemment Assy ne se sentait pas bien... Fatigue et baisse de tension. Darkhan a préféré rester auprès d'elle. Enfin, pour en revenir à notre soirée, je suis bien contente que Thyl et Edryss se soient réconciliés.

— Et nous aussi, par la même occasion, plaisanta Kendhal en lui donnant un léger coup de coude.

— Eh! on n'était pas vraiment fâchés! protesta l'adolescente en le fixant de ses yeux azur. Tu me connais, je m'emporte vite, mais j'ai du mal à te faire la tête longtemps.

— Heureusement... Au fait, je voulais te dire que je te trouve particulièrement belle, ce soir.

La jeune elfe, qui sentait ses joues devenir rouge pivoine, détourna son regard.

— Oh, Kendhal, arrête, fit-elle doucement. Il y a des choses beaucoup plus importantes que la façon dont je suis habillée ou coiffée, non?

— Oui, mais à force de concentrer son attention sur ce qui est important, on en oublie parfois l'essentiel. C'est important pour moi de prendre mes royales responsabilités au sérieux et de faire bonne figure auprès de mes sujets. C'est important d'apprendre à m'imposer auprès de Bromyr. C'est important de veiller sur notre talisman. C'est important de découvrir au plus vite l'identité du voleur. Tout cela est très important, je suis d'accord avec toi. Mais, ce soir, de te dire à quel point j'aime le bleu de ta robe assorti à tes yeux et tes cheveux tirés en arrière qui dégagent ton visage me semble essentiel. Voilà, c'est tout.

Luna ne put s'empêcher de sourire, très émue. Jamais son cœur n'avait tambouriné aussi fort dans sa poitrine. Sauf peut-être sur cette plage, de longs mois auparavant... Pourtant, lorsque Kendhal approcha son visage du sien, une peur panique s'empara de l'adolescente, qui recula imperceptiblement.

— Tu penses que la prophétie va s'accomplir ? demanda-t-elle pour faire diversion.

— Pas si notre talisman et celui des drows restent en sécurité. Et, malgré ses défauts, j'ai confiance en Bromyr. Je sais qu'il veillera sur le bouclier au péril de sa vie.

— Quant à Edryss, elle m'a assuré qu'elle était la seule à savoir où se cache la statuette d'Eilistraée. Aucun autre drow ne sait où elle se trouve.

— Même pas Platzeck ?

Luna secoua la tête, ce qui eut pour effet de faire danser sa longue tresse dans son dos.

— Non. Depuis que je l'ai informée de mes doutes concernant l'éventuelle culpabilité d'un drow, elle s'est mise à surveiller son fils, à son insu, bien sûr. Et, précisément, depuis deux jours il a un comportement des plus étranges.

— Comment ça ? s'étonna Kendhal.

— Eh bien ! il a d'abord insisté à plusieurs reprises pour savoir où elle avait mis le talisman des drows ! Comme Edryss restait muette, la dernière fois il s'est mis en colère, la traitant d'inconsciente et disant regretter que sa propre mère n'ait pas confiance en lui. Après quoi il a quitté Eilis, furieux, pour ne revenir que tard dans la nuit.

— Ce qui veut dire qu'il n'était pas chez lui quand Cyrielle a été agressée ?

— Exactement. Mais ce n'est pas tout. La nuit dernière, Edryss a entendu du bruit dans son appartement et, lorsqu'elle s'est levée, elle a découvert Platzeck en train de fouiller dans ses affaires.

— Que cherchait-il ? La statuette, tu crois ?

Luna haussa les épaules.

— C'est possible, bien qu'il s'en soit défendu comme tu peux aisément l'imaginer. Mais peut-être qu'il était en train de cacher le parchemin d'or qu'il venait de subtiliser…

Kendhal plissa le front, inquiet.

— Mais pourquoi Edryss n'a-t-elle rien dit de tout cela ce soir à table ?

— Je pense qu'elle ne tient pas à accuser son fils à tort. Je te rappelle qu'il n'y a qu'elle, moi et maintenant toi, à savoir qu'Hérildur a vu une main noire s'emparer de notre talisman et qu'un drow traînait ce matin, à l'aube, dans les ruelles de ta ville.

Le jeune homme se rembrunit davantage.

— Mouais ! Tu aurais dû me le dire dès que tu es venue chez moi au lieu d'attendre ce soir. J'avoue que, quand tu m'as révélé cela juste avant de passer à table, ça m'a un peu coupé l'appétit. Imagine ce que ce type aurait pu te faire ! Il aurait pu vouloir se débarrasser de toi. Tu l'as vu, tout de même !

— Je n'ai vu que ses yeux, rectifia Luna. Ils étaient rouges et luisants, comme ceux de la plupart des drows.

— Sauf ceux d'Edryss et de Darkhan.

— Et ceux d'Assyléa qui sont plutôt roses, ajouta Luna en resserrant son étole autour de ses épaules.

— Tu as froid ? demanda Kendhal avec sollicitude. Rentrons, nous serons mieux à l'intérieur.

Dans le salon, Luna alluma plusieurs photophores et se laissa tomber dans le canapé. Kendhal prit place à ses pieds, sur le grand tapis moelleux qui s'étendait devant la cheminée. Ils restèrent silencieux un moment. Soudain, Kendhal sursauta.

— Dis, je viens de réaliser quelque chose… Et si ces yeux n'étaient qu'une illusion !

Sceptique, Luna sourcilla.

— Mais enfin, qu'est-ce que tu racontes ? Je les ai vraiment vus briller dans l'obscurité de sa capuche.

— Tu sais, il existe des capes magiques qui font cet effet-là. Je le sais très bien, puisque j'en ai moi-même utilisé une lorsque je poursuivais Halfar sur la route de Rhasgarrok.

— C'était quand ? s'enquit l'adolescente, surprise.

— Il y a un an et demi, lorsque Assyléa t'a enlevée et emportée dans la cité maudite.

Luna acquiesça, pensive.

— Oh là là ! mais s'il s'agit d'une cape magique ça complique tout ! Ça veut dire que le coupable n'est pas un drow, mais qu'il veut qu'on ait l'impression qu'il en est un.

— Exactement ! Ça ne va pas être bien facile de mener une enquête dans tout ce brouillard, confessa Kendhal.

— De mon côté, je vais essayer d'entrer en communication avec Abzagal, cette nuit.

— Comme tu l'as fait avec Hérildur ?

— En quelque sorte. Sauf qu'Abzagal est un dieu, pas un esprit. Normalement, ça devrait être assez facile ; lui et moi, on se connaît bien, maintenant. En tout cas, j'espère ne pas devoir m'escrimer autant que la dernière fois que j'ai appelé grand-père.

— Pourquoi donc?

— Parce qu'avant de le trouver j'ai rencontré les esprits d'autres défunts. Des gens qui étaient morts à cause de moi, en plus.

— Oh, c'est assez glauque, ça! reconnut Kendhal en s'efforçant de sourire. Tu sais quoi? Pendant que tu vas passer ta nuit avec des fantômes, de mon côté je vais tenter d'élaborer un plan pour piéger notre malfaiteur.

— Excellente idée! approuva Luna en se levant. Comment comptes-tu t'y prendre?

— Je ne sais pas encore, mais, comme notre ennemi s'amuse à brouiller les pistes, j'ai envie de le prendre à son propre jeu.

— J'ai hâte de voir ça! Je passe chez toi demain matin?

— Ce sera un plaisir pour moi, mais, je t'en prie, demande à un ou deux gardes de t'escorter. Je ne voudrais pas que tu retombes nez à nez avec le drow à la capuche qui n'est pas un vrai drow.

Luna éclata de rire. Kendhal, lui, la fixait avec intensité.

— Tu es si belle, quand tu ris!

— Stop, Kendhal! Si tu abuses des compliments, je vais finir par te croire.

— Et tu auras bien raison! clama-t-il en la prenant dans ses bras avant qu'elle ait eu le temps de s'esquiver.

Luna retint sa respiration. Elle sentait sur son visage les yeux de Kendhal qui la dévoraient, ses mains sur ses hanches qui la consumaient, ses lèvres dorées qui l'appelaient. Une onde de chaleur la traversa tout entière. Mais, au même moment, Elbion jaillit dans le salon et s'immobilisa en remarquant leur présence.

— Oh, Elbion, tu m'as fait peur ! sursauta Luna en se dégageant de l'étreinte du jeune roi, qui la lâcha à regret.

— C'est étrange, ironisa le loup, vaguement amusé, on dirait que chaque fois j'arrive pile au mauvais moment.

— Ah, tu crois ça ! gronda-t-elle en jetant un coup d'œil embarrassé vers Kendhal.

— Comment ça ? Qu'est-ce que je crois ?

— Non, rien, laisse tomber, marmonna-t-elle avant de se tourner vers Kendhal. Désolé... On se voit demain ?

— Oui, et j'ai déjà hâte ! Passe une bonne nuit !

Kendhal se dirigea vers la porte des appartements de Luna où l'attendait son escorte. Une fois le roi parti, Elbion s'installa devant la cheminée et s'étira avec nonchalance. Luna laissa exploser sa colère :

— Dis donc, toi, tu aurais pu attendre un peu avant de débouler ici comme un fou ! Tu as bien vu qu'on était... occupés, non ?

— Hum ! hier, la dispute, aujourd'hui, la réconciliation et demain ce sera… le mariage ?

— N'importe quoi, franchement ! D'abord, où t'étais passé, toi, toute la journée ? Je ne te vois plus beaucoup, ces temps-ci, hein ?

— Tu sais bien que j'étais avec mes amis… mes nouveaux amis.

Luna se planta devant lui, les poings sur les hanches.

— Ah oui, ceux avec qui tu t'amuses à te battre ! Tiens, c'est bizarre, tu n'as pas de nouvelles blessures aujourd'hui. Vous avez trouvé un autre jeu pour passer le temps ?

— On peut dire ça, ricana Elbion, le regard pétillant.

— Eh bien, vas-y ! explique-moi !

Mais son frère n'avait visiblement pas envie de se montrer très coopératif. Il bâilla ostensiblement avant de soupirer :

— Écoute, Luna, je t'adore, mais là, je suis éreinté. Si tu veux, on en reparle demain matin. D'accord ? Merci. Tu es adorable. Je savais que tu comprendrais.

Il ferma les yeux et fit mine de dormir. Luna resta consternée. Depuis qu'elle était toute petite, Elbion n'avait jamais eu de secret pour elle. Là, il lui cachait quelque chose d'essentiel et elle avait horreur de cela.

— Hum, tu ne perds rien pour attendre, espèce de fripouillot ! ronchonna-t-elle. Je sais que tu ne dors pas encore et que tu m'entends. Je te jure que demain matin on aura une bonne explication tous les deux !

Lorsqu'elle quitta le salon, Elbion esquissa un sourire et laissa le sommeil l'envahir.

Quand Luna se glissa dans son lit, elle se sentait vidée. La journée avait été fort mouvementée, pleine de rebondissements. La soirée aussi. Luna ne cessait de repenser à la douce étreinte de Kendhal, à ses lèvres qui allaient se poser sur les siennes. Elle ferma les yeux en soupirant de plaisir, prête à plonger dans des rêves délicieux, et sombra rapidement dans l'inconscience.

Mais, au beau milieu de la nuit, elle se réveilla en sursaut.

« Abzagal ! s'écria-t-elle. Je l'ai complètement oublié. Il faut absolument que j'arrive à le joindre ! »

Elle se concentra et banda son esprit pour le tendre vers le royaume des dieux où la divinité des avariels se trouvait, mais, malgré tous les efforts déployés, le dieu dragon ne semblait guère entendre ses suppliques désespérées.

Énervée, elle finit par s'asseoir dans son lit. Elle vida d'un trait le verre d'eau qui se trouvait sur sa table de chevet, se rallongea et essaya de se détendre. Mais, lorsqu'elle voulut appeler de nouveau Abzagal, ce fut l'image de Kendhal qui s'imposa à elle.

En réalité, Luna se réjouissait tellement de leur complicité retrouvée qu'il lui était impossible de concentrer sa pensée sur autre chose. Même si elle redoutait ce qui arriverait si le jeune roi l'embrassait à nouveau, elle ne pensait plus qu'à ça.

« Cornedrouille ! se morigéna-t-elle. Ce n'est franchement pas le moment ! J'ai d'autres soucis en tête que de batifoler avec Kendhal. En plus, maintenant, c'est le souverain des elfes dorés, quand même. »

C'était vrai que les choses avaient bien changé depuis ce tendre baiser échangé sur la plage. Qu'il lui semblait loin, ce moment d'insouciance ! Kendhal était devenu roi, depuis, même s'il n'avait que seize ans... Et, accepter de fréquenter un roi autrement qu'en tant qu'ami signifiait-il qu'elle allait forcément devenir sa reine ? Luna ne se sentait pas prête à endosser une telle responsabilité. Dans moins de deux mois, elle aurait quatorze ans et elle comptait bien profiter encore quelques années de sa liberté.

Tiraillée entre sa raison et ses sentiments, elle n'avait plus du tout envie de dormir. Elle décida donc de se lever pour aller faire une petite balade nocturne. Elle enfila un peignoir de velours noir, chaussa ses pantoufles et sortit sans un bruit de ses appartements.

Les couloirs du grand palais étaient vides, silencieux et sombres.

Elle erra un bon moment sans but précis, seule dans les longues galeries désertes, les salons de réception et les grands escaliers aux marches feutrées. Tout en marchant, elle s'efforçait de vider son esprit, de ne plus penser à rien, afin de pouvoir se recoucher sereine.

Tout à coup, un bruit insolite attira son attention. Telle une louve, elle tendit l'oreille. On aurait dit un frottement, comme un livre qu'on fait glisser ou un coussin qu'on soulève.

« Quelqu'un est en train de fouiller quelque part ! » comprit immédiatement Luna.

En temps ordinaire, cela ne l'aurait pas vraiment inquiétée, mais, étant donné les circonstances, elle devait aller vérifier. Le cœur battant à tout rompre, elle prit dans la plus grande discrétion la direction de ces bruits suspects.

Soudain, elle n'entendit plus rien des froissements qui la guidaient. Elle s'immobilisa, tous ses sens aux aguets.

Ce fut à ce moment-là qu'elle vit, au bout du couloir, jaillir de la salle du conseil une grande silhouette mince, enveloppée dans un manteau noir. C'était sans aucun doute le même individu qu'elle avait rencontré le matin dans les rues d'Hysparion, mais cette fois l'intrus ne la remarqua pas et disparut avant que Luna ait eu le temps de ciller.

# 14

La scène n'avait duré qu'une fraction de seconde, mais Luna savait qu'il s'agissait de la personne même qui l'avait percutée dans les rues d'Hysparion. Inutile donc de le poursuivre ou de donner l'alerte, l'inconnu était tellement rapide qu'au premier cri qu'elle pousserait il serait déjà très loin.

Peu rassurée, Luna décida de regagner sa chambre au plus vite. Elle n'avait pas envie de tomber à nouveau face à cet individu, probablement sans scrupules. Qui sait comment il réagirait ? Peut-être chercherait-il à la tuer, cette fois ? Luna regretta que Kendhal ne soit pas à ses côtés.

Sans attendre, elle fit volte-face et s'engouffra dans la galerie des roses. Tout en courant, elle réfléchissait au chemin le plus court. Le palais était tellement grand qu'il lui parut bien plus rapide de couper en passant par le patio aux myrtes, là où avait eu lieu le banquet du mariage. Cela l'obligeait à sortir et elle n'était pas très couverte, mais qu'importait, elle serait plus vite en sécurité. Au bout de la galerie, elle obliqua à droite, entrouvrit la porte massive qui donnait sur l'extérieur et dévala l'escalier en pierre qui surplombait la vaste cour.

Elle arrivait au deuxième palier quand un craquement en contrebas déclencha une alerte dans son cerveau. Elle eut le réflexe de se laisser tomber au sol et de se dissimuler derrière le parapet. Son cœur tambourinait tellement fort dans sa poitrine qu'elle crut qu'on pouvait l'entendre à dix lieues à la ronde. Pourtant, le mystérieux intrus ne semblait pas avoir remarqué sa présence, puisqu'il continuait à fouler les gravillons du patio.

Luna se releva à demi. Seule sa tête dépassait du muret.

Ce qu'elle vit l'intrigua au plus haut point.

L'individu était là. Et il semblait chercher quelque chose. Il examinait avec attention chaque massif, chaque plante verte, écartant les feuilles, fouillant la terre. Luna eut même le temps d'apercevoir ses mains et se crispa en constatant qu'elles étaient bien noires. Il ne s'agissait donc pas d'une cape magique comme l'avait soupçonné Kendhal. Le mystérieux homme encapuchonné était bien un drow.

« Mais que cherche-t-il, bigredur ? » se demanda Luna.

Elle ne le quittait pas des yeux, observant sa fouille méthodique. Elle le vit s'avancer jusqu'à la fontaine et se pencher pour observer attentivement le bassin.

Elle hésitait sur la conduite à tenir. Devait-elle lui sauter dessus pendant qu'il avait le dos tourné ? Devait-elle utiliser son pouvoir ? Ou devait-elle rester cachée en attendant qu'il s'en aille ?

« Non, il est hors de question de le laisser filer une seconde fois, se jura-t-elle intérieurement. Cette fois, il va voir de quel bois je me chauffe, cornedrouille ! »

Luna ferma les yeux pour se concentrer. Elle puisa au fond de son esprit la force mentale nécessaire pour neutraliser son adversaire sans toutefois le tuer. Mais, lorsqu'elle ouvrit les yeux pour libérer son pouvoir, la silhouette encapuchonnée avait disparu.

Luna se releva aussitôt et examina les alentours. Le patio était désert. Elle huma profondément l'air, mais, hormis les effluves floraux, étrangement, elle ne perçut rien d'autre. Ou bien ce drow ne sentait absolument rien, ce qui semblait improbable, ou bien les effets secondaires de la morsure de sire Lucanor commençaient à se dissiper. Elle grimaça de dépit à l'idée de perdre un jour son flair de loup. Frustrée, furieuse, elle regagna sa chambre en pestant, la tête pleine de questions sans réponses.

Le soleil était déjà levé depuis une heure lorsque Luna s'assit à la table du salon pour prendre son petit déjeuner. En face d'elle, étaient posés un grand bol de lait parfumé à la cannelle qui fumait encore, ainsi qu'une pile de crêpes aux amandes, ses préférées. Pourtant, sa mauvaise humeur était à son comble.

Ce dont elle avait été témoin au cours de la nuit la mettait au supplice. Elle regrettait terriblement de n'avoir pas agi suffisamment vite. Elle tenait peut-être là le responsable de ces abominables vols et elle n'avait rien fait. Rien ! Cela n'en finissait pas de la ronger.

En plus, quand elle était retournée se coucher, la fatigue l'avait littéralement terrassée. Elle s'était assoupie si vite, si profondément qu'elle n'avait pu tenter à nouveau de contacter Abzagal. Encore une occasion perdue de faire avancer son enquête !

Et, pour couronner le tout, Elbion s'était défilé en se levant avant elle. Quel sacré filou, celui-là ! Ce n'était pas encore aujourd'hui que

Luna pourrait avoir une conversation sérieuse avec lui.

Décidément, tout allait vraiment de travers en ce moment. Si la situation n'avait été aussi compliquée et urgente, Luna serait bien retournée se coucher. Et pourquoi ne pas passer la journée au lit ? Mais elle avait rendez-vous avec Kendhal et pour rien au monde elle n'aurait manqué cela.

Après avoir englouti plusieurs crêpes et avalé son bol de lait, Luna passa par la salle de bain faire un brin de toilette et en profita pour se recoiffer. Un joli ruban vert anis noué dans ses cheveux argentés serait du plus bel effet. Elle regagna sa chambre et ouvrit son armoire. Des piles de vêtements s'y entassaient sur six larges étagères.

Dire que pendant toute son enfance, elle n'avait jamais eu le choix. Un pantalon maintes fois rapiécé à la va-vite par le Marécageux, une chemise ou deux, souvent trop grandes et tachées, ainsi qu'une unique veste en peau constituaient sa maigre garde-robe. Mais, à cette époque, elle n'en était pas moins heureuse. En tout cas, elle gagnait du temps le matin.

Luna contempla toutes ses affaires d'un air indécis. Elle ne souhaitait pas avoir l'air trop apprêtée, mais elle ne voulait pas non plus paraître négligée. Quel cruel dilemme ! Elle opta finalement pour une longue tunique en soie assortie à son ruban, enfila une veste marron par-dessus et des collants de la même couleur. Avec ses cuissardes, elle serait élégante, mais pas trop.

Elle s'envoya un sourire dans la glace et regagna la terrasse. Là, elle dévala les marches quatre à quatre et s'élança en direction d'Hysparion.

Luna courait sur les berges du lac, quand elle se rappela sa promesse de se faire accompagner par quelques gardes. Cela lui était complètement sorti de l'esprit. Mais elle était déjà à mi-chemin et elle jugea inutile de faire demi-tour.

Elle se demanda si Kendhal avait trouvé le moyen de piéger le voleur, puis elle se rembrunit en songeant à ce qu'elle aurait à lui avouer, à savoir qu'elle n'était pas parvenue à entrer en contact avec le dieu dragon. Toutefois, elle allait lui raconter sa rencontre nocturne avec le mystérieux drow. Finalement, leur enquête avançait un peu.

C'était jour de marché dans la cité des elfes de soleil, et sur la place centrale avaient été dressés des étals qui regorgeaient de denrées appétissantes et de produits originaux. Luna nota avec plaisir que certains avariels étaient venus vendre leur production et qu'un groupe de courtisanes elfes de lune marchandaient déjà quelque bijou. Par contre aucun drow n'avait fait le déplacement.

L'adolescente ne prit pas le temps de se mêler à la foule et se dirigea directement vers la demeure de son ami. Elle frappa et attendit sur le perron qu'on lui ouvre en profitant de la vue. Sur la petite plage, à l'est, s'était réuni un attroupement d'hommes et de femmes tournés vers le lac. Ils semblaient captivés par quelque chose, mais Luna avait le soleil en plein dans les yeux. Elle mit sa main en visière et remarqua une dizaine de barques qui revenaient ou s'en allaient. Des pêcheurs, sans doute. Ce fut à ce moment que s'ouvrit la porte.

— Princesse Luna ? s'étonna le majordome.

— Ah, vous me reconnaissez, aujourd'hui ? fit-elle d'un ton espiègle en accédant au vestibule. Est-ce que le roi est levé ?

— Désolé, Altesse, mais j'ai bien peur que…

— Ah non ! le coupa-t-elle sans se départir de son sourire. Vous n'allez pas me refaire le coup ! Kendhal et moi avons rendez-vous ce matin et je doute qu'il ait oublié.

Pourtant le majordome semblait réellement dépité. Son teint cireux et ses yeux cernés alertèrent Luna.

— Quelque chose ne va pas? s'enquit-elle, soudain angoissée.

L'elfe doré se mordit la lèvre inférieure en pressant nerveusement ses mains l'une contre l'autre.

— Un grand malheur est arrivé cette nuit, commença-t-il. Quelqu'un a déjoué les systèmes de protection du château pour s'y introduire par effraction et s'emparer de notre talisman.

Luna vacilla.

— Votre bouclier a été volé?

Comme l'autre acquiesçait en silence, Luna protesta:

— Je croyais que Bromyr devait veiller dessus jour et nuit. Où était-il lorsque le drame s'est produit?

Le majordome prit son air le plus grave et leva un doigt pour indiquer l'étage.

— Il était bien à son poste là-haut et je vous assure qu'il a protégé notre bouclier bec et ongles. Mais l'autre était plus fort et n'a pas hésité à le poignarder!

Cette fois Luna eut le souffle coupé.

— Bromyr a été assassiné?

— Par tous les dieux, non! s'exclama le serviteur. La lame a glissé contre son plastron de cuir, mais elle lui a tout de même perforé le côté droit… sans toucher d'organe vital, heureusement.

— Cornedrouille ! murmura Luna, hébétée. Quand est-ce arrivé ?

— Cette nuit, sans doute, mais le roi n'a trouvé le général que ce matin à l'aube, gisant dans une mare de sang. Il s'est empressé d'appeler notre guérisseur à son chevet.

Luna se passa la main sur le visage, comme pour évacuer l'émotion qui menaçait de la submerger. À présent, elle regrettait d'avoir dit du mal de Bromyr. Malgré ses défauts, le pauvre n'avait pas mérité ça.

— C'est vraiment terrible, reprit-elle. Et maintenant le voleur possède trois des quatre talismans. Nous devons prévenir Edryss au plus vite. Où est Kendhal ?

Elle pénétrait déjà dans la salle à manger en cherchant son ami du regard quand le majordome lui apprit :

— Justement, Sa Majesté est actuellement en route pour Eilis.

Luna eut un sursaut de soulagement.

— Oh ! il a bien fait de ne pas m'attendre ! lâcha-t-elle. Il était plus urgent de mettre nos amis drows au courant. Il faut absolument qu'ils prennent toutes les précautions possibles pour empêcher que leur talisman ne disparaisse à son tour, sinon les conditions nécessaires à l'accomplissement de la prophétie risquent d'être réunies.

— De quelle prophétie parlez-vous ?

Bien entendu, le majordome n'était pas au courant de ce détail. Luna s'en avisa aussitôt.

— Peu importe ! Mais il est important que les drows soient prévenus sans délai et qu'ils protègent leur talisman avec la dernière énergie.

Le majordome plissa les lèvres.

— Hum… Je crains que les intentions de notre roi ne diffèrent légèrement des vôtres.

— Que voulez-vous dire ? Kendhal ne compte pas prévenir les drows ?

— Je ne le crois pas, non, fit l'autre en secouant la tête. Il vient de partir avec une cinquantaine de soldats par le lac pour poser un ultimatum à la prêtresse.

Luna écarquilla les yeux. « Par le lac ? C'était donc cela, l'attroupement sur la plage ! » Elle était tellement subjuguée par l'annonce de cette nouvelle catastrophe qu'elle mit un temps avant de murmurer :

— Un ultimatum ? Mais… pourquoi ?

— Le roi veut qu'Edryss lui livre la tête du coupable.

Horrifiée, Luna se laissa tomber sur un siège, une main sur son front.

« Oh, Kendhal, qu'est-ce que tu es en train de faire ? Ne pouvais-tu m'attendre ? On avait dit qu'on n'accusait personne sans avoir de preuves… »

— Dites-moi, s'écria Luna en se plantant devant le domestique, Bromyr a-t-il eu le temps de voir son agresseur ?

— Pas vraiment. L'homme portait une grande cape noire et se cachait derrière sa capuche, mais c'est son arme qui l'a trahi.

— Quel genre d'arme était-ce ? s'enquit Luna, intriguée.

— Un poignard à l'effigie de Lloth.

— Oh, non, pas ça… souffla l'adolescente en cachant son visage dans ses mains.

# 15

Luna courait à en perdre haleine. Ses poumons se consumaient dans sa poitrine en feu depuis un moment déjà. Ses jambes lui criaient de s'arrêter, mais son cœur lui hurlait de continuer sa course en direction de Laltharils.

La petite armée de Kendhal débarquerait bientôt sur la rive est. Luna aurait aimé pouvoir le supplier de rebrousser chemin, mais les bateaux étaient trop loin, même pour un message télépathique.

Il ne lui restait plus qu'une seule chose à faire: prévenir Darkhan et Assyléa pour les convaincre de la suivre à Eilis afin de raisonner Kendhal et d'apaiser la fureur des elfes dorés, même si cette fois elle semblait légitime. L'arme avec laquelle Bromyr avait été attaqué prouvait que le voleur était finalement bien un drow!

Arrivée à Laltharils, Luna entra en trombe dans le palais sous l'œil surpris des gardes et se précipita vers les appartements de son cousin. En dépit de son mariage avec Assyléa, Darkhan avait préféré demeurer dans l'appartement où il avait vécu autrefois avec son père et sa mère, plutôt que d'aller s'installer à Eilis. En réalité, depuis le début, il était farouchement opposé à la création de quatre cités différentes. Pour lui, c'était une erreur qui ne pouvait conduire qu'à des conflits latents. À son avis, il aurait fallu agrandir Laltharils et mélanger tous les elfes sans tenir compte de leur couleur de peau ou du fait qu'ils aient ou non des ailes, afin de créer une véritable communauté unie. Mais son avis n'avait pas remporté l'adhésion d'Hérildur, ni d'Ambrethil par la suite.

— Darkhan ! Darkhan, vite, ouvre-moi ! s'écria Luna en tambourinant contre sa porte.

Son cousin ne tarda pas à lui ouvrir. Il avait tressé ses longs cheveux et portait une chemise bleu ciel qui le faisait paraître plus jeune, mais Luna n'y prêta guère attention.

— Le talisman des elfes dorés a été volé cette nuit. Bromyr a été sérieusement blessé et figure-toi que l'arme est un poignard portant le symbole de Lloth. Tout porte à croire que le coupable est un drow. C'est terrible !

— Eh! doucement, doucement! répliqua Darkhan avec un flegme qui contrastait avec la panique de l'adolescente. Calme-toi, Luna, et reprends tout depuis le début.

— Pas le temps! Nous avons la preuve que le voleur est bien un elfe noir et…

— Ça, on s'en doutait un peu, la coupa le guerrier. Edryss m'a raconté ta conversation avec grand-père.

— Réveille-toi, Darkhan, on n'en est plus là! s'énerva Luna. Kendhal a réuni une cinquantaine de soldats et vogue actuellement vers Eilis pour demander la tête du coupable à Edryss.

Darkhan blêmit.

— Oh, oh! je n'aime pas du tout cela! s'exclama le jeune homme en s'emparant d'une cape bleu nuit et de son sabre qu'il glissa dans son fourreau. Dépêchons-nous d'y aller!

— Attends, le retint Luna. Tu ne préviens pas Assyléa? Elle voudrait sans doute venir avec nous.

— J'en doute, grimaça-t-il. Assy a encore passé une nuit horrible. Elle s'est réveillée en nage vers trois heures et impossible de se rendormir. Je sens que quelque chose la tracasse, mais elle me dit que non, que je ne dois pas m'inquiéter, que cela va passer. Quoi qu'il en soit, cette nuit, elle était dans un tel état d'agitation qu'elle a dû sortir s'aérer. Elle n'est rentrée qu'à l'aube. Il vaut mieux la laisser dormir quelques heures encore.

Luna sentit son corps se raidir, mais Darkhan lui avait déjà attrapé la main pour l'entraîner dans les couloirs devant des courtisans ébahis.

« Assyléa ne dormait pas cette nuit, cornedrouille ! songea Luna, mortifiée. Elle n'est rentrée qu'à l'aube. Et si... et si, sous cette cape, ne se cachait pas un drow, mais une drow ! Voilà pourquoi il... enfin elle ne m'a pas attaquée dans les rues d'Hysparion. Assy ne pouvait pas s'en prendre à moi. Mais, dans ce cas, que fabriquait-elle cette nuit à fouiller partout ? Qu'avait-elle perdu qui soit si important ? Un poignard à l'effigie de Lloth ? Non, impossible ! Mon amie n'est pas une meurtrière ! »

Elle se rappela cependant que la jeune femme avait grandi au monastère de Lloth et qu'en tant que novice elle avait dû commettre des crimes bien pires. C'était d'ailleurs elle qui l'avait piégée en la livrant à matrone Zesstra.

Submergée par d'affreux doutes, Luna commença à suffoquer. Darkhan ralentit aussitôt.

— Je vais trop vite ? s'excusa-t-il.

— Oui... enfin, non ! Ça va. Continuons.

Le guerrier reprit sa course et Luna s'efforça de chasser de son esprit ses horribles soupçons pour chercher ce qu'elle allait bien pouvoir dire à Kendhal afin de le convaincre de modérer ses propos envers Edryss. Après tout, ce n'était pas parce que Bromyr avait été retrouvé avec un poignard drow dans les flancs que le criminel était forcément un drow. Luna ne savait plus du tout où elle en était lorsqu'ils arrivèrent en vue des barques échouées sur la berge.

— Dépêchons-nous ! l'encouragea Darkhan en tournant vers la gauche.

À bout de souffle, Luna rassembla ses dernières forces pour ne pas faiblir.

Lorsqu'ils parvinrent enfin au pied de la ville troglodytique, les hommes de Kendhal attendaient là, rassemblés en un groupe compact. Darkhan dut jouer des coudes pour se frayer un chemin. Il s'arrêta en découvrant Kendhal et Edryss nez à nez. La prêtresse d'Eilistraée était sortie hors de ses murs, escortée par une dizaine de sorciers, dont son fils Platzeck. Apparemment, les hostilités étaient déjà entamées.

— Je regrette que tu aies besoin de ton armada pour me rendre visite, Kendhal, grinça la prêtresse en le foudroyant du regard. Nous aurions été aussi bien seul à seul pour régler ce problème.

— La diplomatie a ses limites, Edryss, et cette fois j'en ai plus qu'assez. En plus d'avoir volé notre talisman, l'un des tiens a tenté d'assassiner mon général. C'est inadmissible !

La prêtresse serra les dents.

— Pourquoi accuses-tu un drow? Si c'est parce que nous sommes les seuls à avoir conservé notre objet sacré, je trouve ça un peu léger comme argument. Vous n'aviez qu'à mieux protéger les vôtres. Sache que je suis navrée de voir que Bromyr ait été pris pour cible, mais n'importe qui a pu commettre ce méfait.

Darkhan et Luna se précipitèrent vers eux pour tenter d'apaiser leur esprit échauffé, mais Kendhal n'avait pas dit son dernier mot.

— N'importe qui peut-il posséder un poignard à l'effigie de Lloth ? rugit-il en dégainant l'arme avec laquelle son général avait été poignardé.

À la vue de l'arme, les drows reculèrent, terrifiés. Les traits décomposés, Edryss ouvrit la bouche, mais ne proféra aucune parole. Ses yeux étaient rivés sur la lame étincelante. Elle semblait anéantie.

Le regard de Kendhal croisa celui de Luna. Les yeux de l'adolescente reflétaient toute sa détresse. Les yeux du roi, en revanche, brillaient d'une froide détermination.

— Maintenant, Edryss, reprit Kendhal, je veux que tu me livres le drow que nous cherchons tous. Je veux le juger pour les vols dont il s'est rendu coupable, ainsi que pour tentative de meurtre sur la personne de mon général.

Darkhan se permit d'intervenir. Il le fit avec suffisamment d'autorité pour que tous les regards convergent dans sa direction.

— Je propose que nous poursuivions cette conversation en comité restreint. Edryss, conduis-nous chez toi. Kendhal, Luna, et toi aussi, Platzeck, suivez-moi. Vous autres, restez ici et essayez de ne pas vous entretuer. On a déjà un blessé, je crois que ça suffit pour aujourd'hui.

Personne ne broncha. Edryss pivota et ouvrit les portes de sa cité.

Une fois dans son appartement, Darkhan referma précautionneusement la porte et dévisagea chacune des personnes qui se trouvaient là.

— Bien ! Maintenant, asseyons-nous et discutons tranquillement, voulez-vous ? Edryss, tu comprends que les soupçons de Kendhal ne sont pas infondés. Cette lame prouve que le forfait a bien été commis par un drow, n'est-ce pas ?

Mais avant que la prêtresse n'ait pu approuver, Platzeck se permit d'intervenir :

— Je ne suis absolument pas d'accord. Aucun drow, même adepte de Lloth, n'est assez stupide pour laisser son arme plantée dans le corps de sa victime. Cela reviendrait à signer son propre crime. En outre, si celui que nous recherchons est un mauvais drow, il aurait achevé votre général plutôt deux fois qu'une. Ne croyez-vous pas ?

Luna s'avoua intérieurement que Platzeck n'avait pas tort. Ses paroles étaient même pleines de bon sens. Tout le monde devait partager son point de vue, car personne ne pipait mot.

— C'est vrai que Bromyr n'a pas pu voir son agresseur, admit Kendhal au bout d'un moment. Seule cette lame accuse l'un des vôtres. Mais, si le voleur n'est pas un drow, comment a-t-il pu se procurer cette arme ?

Ce fut au tour de Darkhan de répondre.

— Mon père m'a appris un jour qu'il n'y a pas deux poignards drows identiques. Chaque dague est unique et porte la marque de son premier propriétaire. Il doit être facile de savoir à qui celle-là appartient !

Tous les regards convergèrent vers l'arme, posée sur la table basse.

Luna remarqua aussitôt que les mains d'Edryss s'agitaient de plus en plus nerveusement. Les mâchoires contractées, elle blêmissait à vue d'œil. L'adolescente comprit que la prêtresse avait identifié le propriétaire du poignard. Elle pria Eilistraée pour que ce ne soit pas Assyléa.

— Bon, inutile de vous le cacher plus longtemps, fit Platzeck en se levant. Ce poignard est le mien.

Darkhan, Kendhal et Luna sursautèrent, choqués. Edryss baissa les yeux, submergée par la honte.

— Avant que vous n'en déduisiez quoi que ce soit, j'ai deux ou trois choses à vous expliquer.

— Nous t'écoutons, l'encouragea Darkhan.

Platzeck prit une grande inspiration et se mit à faire les cent pas.

— C'est mon père qui m'a offert cette arme pour mes cinq ans. C'est le seul cadeau qu'il m'ait jamais fait, car il a été assassiné l'année suivante. Aussi, quand nous avons fui Rhasgarrok, je n'ai pu me contraindre à l'abandonner. Certes, ce poignard représente la déesse maudite, mais c'est aussi le seul souvenir que j'ai de mon père. Bizarrement, c'est pour moi un peu comme un talisman.

Cette idée fit grimacer Luna, mais elle comprenait aisément que le jeune drow n'ait pu se résoudre à laisser le poignard derrière lui.

— Voilà plusieurs mois déjà que je le portais dans un fourreau contre ma cuisse. Mais le soir du mariage, en rentrant me coucher, je me suis aperçu que je ne l'avais plus. Apparemment, je l'avais perdu, mais impossible de savoir où ni quand. Depuis ce jour, je n'ai de cesse de le chercher partout. Je devinais que si quelqu'un tombait sur une dague représentant Lloth, un vent de panique soufflerait sur notre communauté. On nous accuserait immédiatement d'abriter un traître.

— Voilà pourquoi tu t'es si violemment fâché lorsque Bromyr a évoqué l'idée qu'un drow avait pu faire le coup ? réalisa Luna.

— Exactement ! Ma réaction était peut-être un peu exagérée, mais en même temps j'avais peur que quelqu'un découvre l'existence de cette arme et nous accuse de trahison. C'est aussi la raison pour laquelle j'ai fouillé de fond en comble l'appartement de ma mère et chaque recoin d'Eilis.

— C'était donc cela ! s'exclama Edryss. Je trouvais ton attitude très étrange.

— J'ai passé les nuits suivantes à fouiller Hysparion, et même Laltharils hier soir, à la recherche de mon poignard.

— C'était donc toi ? s'exclama Luna, soulagée qu'il ne s'agît pas d'Assyléa. Tu sais que tu m'as fait sacrément mal, quand tu m'as percutée dans les ruelles d'Hysparion !

— Désolé, vraiment, mais je ne voulais pas prendre le risque que tu me reconnaisses. Notre rencontre n'aurait jamais dû se produire.

C'est comme cette nuit. Que faisais-tu debout à cette heure ?

Kendhal, qui n'était pas au courant de l'aventure nocturne de son amie, se tourna vers elle en fronçant les sourcils. Luna ne put s'empêcher de rougir.

— Tu m'as vue ?

— Entendue, plutôt. Tu n'es pas vraiment discrète, Luna. Mais je ne voulais pas quitter le palais sans m'être assuré que mon poignard ne se trouvait pas dans le patio aux myrtes où s'était déroulé le banquet.

Edryss, qui n'avait rien dit jusque-là, se leva à son tour.

— Quoi qu'il en soit, mon fils, tu as fait une grave erreur en conservant cette arme. Maintenant, à cause de toi, ce sont tous les drows qui sont suspectés.

Darkhan essaya de calmer le jeu.

— Il est clair que le voleur a retrouvé le poignard avant toi, ou même qu'il te l'a volé ; ce n'est pas à exclure non plus. Il s'en est servi pour porter préjudice aux drows. C'était l'idéal pour détourner l'attention.

Le visage de Luna se mit à rayonner.

— Donc, on peut affirmer que le voleur n'est pas un drow !

Kendhal se massa les tempes comme pour apaiser un mal de tête naissant.

— Et moi, je passe pour le pire des imbéciles, murmura-t-il. Sincèrement, Edryss, je te demande d'accepter mes excuses. J'ai vraiment réagi de façon impulsive, sans voir plus loin que le bout de mon nez. J'ai honte !

Edryss le gratifia d'un sourire sincère.

— Je te pardonne, évidemment, Kendhal. Tu es encore jeune et ta réaction était normale. Je pense qu'à ta place Platzeck aurait fait la même chose, n'est-ce pas ?

Le jeune sorcier drow hocha la tête, en souriant.

— En pire, je pense ! plaisanta-t-il.

Kendhal lui rendit son sourire, mais retrouva vite son sérieux.

— Bon, maintenant que nous pouvons résolument écarter les drows, il nous reste à déterminer qui se cache derrière ces vols et l'agression de mon général.

— Oui. Et, si on en croit la prophétie que m'a révélée Ambrethil, tout porte à croire qu'il va bientôt frapper à nouveau pour s'emparer de la statuette d'Eilistraée, fit Edryss.

— Quelle prophétie ? s'exclamèrent ensemble Darkhan et Platzeck, qui n'avaient pas encore été mis au courant.

Luna leur fit part de la découverte des sages et de ce qu'elle impliquait. Les deux drows pâlirent, mais Kendhal n'avait pas dit son dernier mot :

— Vous savez, j'ai beaucoup réfléchi cette nuit pour mettre au point un plan, comme je l'avais promis à Luna. Il se trouve que je pense avoir trouvé le moyen de piéger notre voleur. Mais pour que cela puisse fonctionner, il faut absolument que vous me promettiez que ce que je vais vous dire ne sortira pas de cette pièce.

Tous promirent sans l'ombre d'une hésitation et écoutèrent le jeune roi avec attention.

# 16

Toujours vêtue de sa cape de nuit, Ylaïs se glissait avec furtivité à travers les ruelles étroites et mal famées de Rhasgarrok. Elle venait de passer presque deux jours en compagnie des adeptes de Naak et elle en savait à présent fort long sur la secte, sur son fonctionnement et sur ses projets. Le grand maître avait gobé tous ses mensonges et, sans se méfier, il n'avait pas hésité à lui révéler bien des secrets.

« Quel imbécile ! ricana intérieurement la jeune femme. S'il croit que je vais revenir pour sa stupide cérémonie, il se met le doigt dans l'œil ! »

Le chef des rebelles lui avait en effet promis de l'initier dès qu'il aurait eu la preuve de son dévouement. Pour la tester, il lui avait confié une mission périlleuse : retourner au monastère espionner matrone Sylnor. Cet idiot lui avait, sans s'en douter, offert l'occasion inespérée de rentrer chez elle sans éveiller les soupçons.

Ylaïs jubilait. Dans quelques heures, elle serait enfin la première prêtresse du monastère.

Allongée sur le sol dans sa chapelle privée, matrone Sylnor se remettait de ses émotions. À bout de souffle et de forces, elle se sentait vidée, presque anéantie. Mais tel était le prix à payer pour pouvoir profiter du don de la déesse. Ce troisième pouvoir était réellement terrifiant, plus dévastateur que n'importe quel autre sortilège connu. Curieusement, elle n'avait eu aucun mal à l'acquérir et à le maîtriser, contrairement à l'orbe énergétique de sa sœur. Désormais cet ultime pouvoir était en elle. Elle était ce pouvoir. L'assimilation avait été parfaite.

De son côté, Lloth était satisfaite. Elle venait d'avoir la preuve qu'elle ne s'était pas trompée en choisissant ce petit bout de femme comme grande prêtresse. Au fond d'elle, la déesse savait que Sylnor était capable de cet exploit qu'aucune des autres matrones n'avait su accomplir avant elle. Mais, là, c'était au-delà de ses espérances. Les capacités et la volonté de la jeune sang-mêlé étaient vraiment stupéfiantes. Matrone Sylnor serait sans nul doute l'une des plus grandes dirigeantes de Rhasgarrok et, grâce à elle, la gloire des drows renaîtrait de ses cendres.

— Je suis fière de toi, Sylnor, la félicita la déesse par l'intermédiaire de la statue d'obsidienne. Tu m'as fortement impressionnée, aujourd'hui.

— Merci, maîtresse, murmura l'adolescente épuisée.

— Qu'as-tu ressenti ?

Matrone Sylnor fit un effort pour s'asseoir. Sa tête tournait encore, mais toute souffrance avait disparu. Seuls ses muscles moulus témoignaient encore de l'extrême violence de l'épreuve subie.

— Je vous avoue que j'ai cru mourir au moment de la transformation. C'était comme si tout mon corps écartelé se disloquait, se consumait dans des flammes acides. Jamais je n'avais éprouvé pareille douleur. Jamais ! Et puis, soudain, tout s'est arrêté. La souffrance s'est muée en force. Je me suis sentie incroyablement puissante, redoutable, comme invincible. C'en était grisant, affolant presque.

— N'as-tu pas eu l'impression de devenir… moi ?

L'adolescente leva les yeux vers la déesse. Son regard brillait de reconnaissance et d'amour éperdu.

— Oui, je l'avoue, confessa-t-elle dans un souffle. Un moment j'ai cru que la fusion était totale. J'étais vous et c'était, comment dire… merveilleux. Je ne me suis jamais sentie aussi bien de toute ma vie. Merci, ô grande déesse, pour cet inestimable cadeau que vous avez eu la bonté de me faire.

— Tu le méritais, Sylnor.

L'adolescente et la déesse cessèrent de parler. L'union entre elles était maintenant telle que nulle parole n'était plus nécessaire. La communion de leur esprit, la fusion de leur corps étaient devenues tellement absolues que les mots étaient superflus.

Elles restèrent un moment nimbées de silence et de paix. Quand des coups redoublés résonnèrent contre la porte verrouillée, matrone Sylnor revint brusquement à elle. Réalisant qu'elle était entièrement nue, elle chercha sa robe du regard, mais ne trouva que des lambeaux de tissus déchiquetés. Elle se releva péniblement et tituba jusqu'à un coffre où elle dénicha un large drap qu'elle enroula autour de son corps frêle. Elle essaya de mettre un peu d'ordre dans sa chevelure emmêlée avant de filer s'asseoir sur son petit trône, à droite de la monumentale statue. Alors seulement elle déverrouilla mentalement l'entrée de sa chapelle.

Ylaïs pénétra dans le Saint des Saints en courant.

— Maîtresse, s'écria-t-elle pleine de fougue, j'ai réussi ! J'ai intégré la secte de Naak et découvert tous leurs secrets !

Sans en attendre l'ordre, elle se précipita vers la matriarche et se prosterna à ses pieds, sans même remarquer qu'elle ne portait qu'un simple drap pour tout vêtement.

— Raconte-moi tout, Ylaïs, ordonna matrone Sylnor en souriant, amusée par l'excitation de la prêtresse.

— J'ai rencontré le chef des rebelles. C'est un drow à la crinière rousse, très séduisant, mais également très mystérieux. Personne ne connaît son nom ni sa maison. Tous l'appellent grand maître et le vouvoient avec déférence. Apparemment, les adeptes ne sont pas encore très nombreux, à peine une centaine. Autre singularité, seuls les hommes peuvent accéder au rang de prêtre. Ils acceptent les femmes comme adeptes seulement. Figurez-vous que j'y ai même retrouvé une vieille connaissance... Dame Klarys !

— Hein ? sursauta matrone Sylnor. C'était donc là-bas que se cachait cette traîtresse ! Ah, comme je regrette de ne pas l'avoir tuée quand j'en avais encore l'occasion !

— J'ai failli le faire quand j'ai compris que c'était elle qui vous avait trahie en révélant votre âge et votre ascendance elfe argenté. À cause de Klarys, les rumeurs se sont répandues dans toute la ville, faisant chuter votre crédibilité. Mais j'ai dû réfréner mon envie de l'occire. Si je voulais intégrer la secte, je ne devais pas éveiller les soupçons en l'éliminant, surtout que dame Klarys semble très proche du grand maître.

— Eh bien ! on peut dire que tu as été beaucoup plus efficace que Caldwen ! C'est à elle que j'avais confié la tâche de retrouver et d'assassiner cette traîtresse. Or, voilà presque une semaine que je suis sans nouvelle d'elle. Hum… ce n'est certainement pas elle que je choisirai pour me seconder.

Une bouffée d'orgueil envahit Ylaïs, mais elle préféra cacher sa fierté et poursuivit son récit comme si de rien n'était.

— J'ignore où se cachent ces impies. Ils déploient des trésors d'imagination pour dissimuler leur repère. Pour l'aller comme pour le retour, ils m'ont endormie à mon insu. Pas une seule fois dans leurs conversations ils n'ont laissé filtrer la moindre information sur la localisation de leur chapelle.

— As-tu vu leur dieu ?

— Non. Seuls les adeptes confirmés ont cet honneur. Pour faire vraiment partie de la secte, il faut se soumettre à un rite qu'ils appellent la piqûre du scorpion, mais ils ne m'ont pas obligée à le passer. Ils voulaient me tester d'abord.

— Te tester ? Comment cela ?

— J'ai passé deux jours avec eux. Ils m'ont expliqué qui était Naak et m'ont dévoilé leur espoir secret de réunifier les drows. Mais, pour vérifier si j'étais digne d'entrer dans leur confrérie, ils m'ont demandé de venir vous espionner. Ces idiots étaient persuadés que j'allais revenir les voir pour vous trahir.

— Mais comment aurais-tu fait, puisque tu ignores où ils se trouvent ?

— Nous avons convenu d'un rendez-vous dans sept jours avec un des leurs, un dénommé Quaylen, dans une taverne du secteur sud.

Matrone Sylnor prit une grande inspiration. Ylaïs s'était montrée très efficace. Pourtant, un détail la laissait insatisfaite.

— Tout cela est très bien, commença-t-elle, mais je serais curieuse de savoir ce que tu as été contrainte de révéler sur moi en échange de ces confidences.

— C'est là où j'ai été rusée, déclara la prêtresse en souriant. J'ai réussi à leur faire croire que depuis les attaques répétées de vos patrouilles vous étiez affaiblie, apeurée, et que vous vous terriez ici, en attendant l'assaut final.

— Et ils ont gobé ça? s'étonna matrone Sylnor.

— Évidemment, puisque je les ai laissés fouiller mon esprit. J'avais bien entendu compartimenté mes pensées, mais cet idiot de Quaylen n'y a vu que du feu… Mais il y a mieux. Un soir que le grand maître avait un peu forcé sur le vin, il m'a fait une révélation incroyable. Il m'a confié qu'il comptait prendre d'assaut le monastère pour s'emparer du trône et l'offrir à Naak.

— Ah, nous y voilà! murmura l'adolescente. T'ont-ils dit quand aurait lieu l'attaque?

— Le grand maître m'a promis d'attendre mon retour. Ce ne sera donc pas avant une semaine.

Matrone Sylnor se caressa le menton, pensive.

— Hum, cela nous laisse peu de temps pour organiser notre riposte, mais c'est jouable… Surtout avec le nouveau pouvoir que je viens d'acquérir. En tout cas, je te félicite, Ylaïs, tu as fait un excellent travail. Et puisque Caldwen a disparu et que Thémys n'est pas foutue de me ramener un nécromancien digne de ce nom, eh bien, je t'annonce officiellement que…

Les portes de la chapelle s'ouvrirent brutalement en laissant entrer deux guerrières, cimeterre en mains.

— Matrone Sylnor ! Vite, aux remparts ! Le monastère est attaqué !

Le cœur de la jeune matriarche rata un battement. C'était impossible, d'après ce que venait de lui raconter Ylaïs. Livide, elle se tourna vers la prêtresse, qui avait également blêmi.

— Maîtresse, je vous assure... balbutia celle-ci. Le grand maître m'avait juré que...

— Pas avant une semaine ? Eh bien ! on peut dire qu'il t'a bien eue ! ironisa matrone Sylnor, rageuse. Finalement, ils se sont moqués de toi ! Tout ce qu'ils voulaient, c'était endormir notre méfiance le temps d'encercler le monastère. Mais nous allons n'en faire qu'une bouchée, de ces rebelles, s'ils ne sont qu'une centaine.

L'une des gardes prit un air inquiet.

— Hélas ! votre grandeur, je crains qu'ils ne soient un peu plus nombreux.

— Combien ? s'enquit matrone Sylnor d'une voix blanche.

— Venez plutôt voir par vous-même ! fit la guerrière en s'élançant vers la sortie.

Sans prendre le temps d'enfiler une tunique, matrone Sylnor se précipita à leur suite en faisant voler son drap dans son sillage.

Lorsqu'elle parvint en haut des immenses murailles du monastère, la jeune matriarche eut le choc de sa vie. Des milliers de drows armés jusqu'aux dents se tenaient au pied des remparts, arborant autant de torches bleutées qui faisaient scintiller leurs armes affûtées dans la nuit éternelle de Rhasgarrok. Tous scandaient le nom de Naak au rythme des tambours de guerre, créant une litanie martiale des plus effrayantes.

Matrone Sylnor crut tout à coup qu'elle allait défaillir. Son cœur tambourinait dans sa poitrine, menaçant de la faire exploser. Elle se cramponna au mur et baissa la tête.

— Une centaine de rebelles, hein ? soufflat-elle à Ylaïs qui se tenait immobile à côté d'elle.

Pétrifiée par l'armée qui s'étalait à ses pieds, la prêtresse comprit qu'elle s'était fait avoir en beauté. C'était bien là la véritable raison pour laquelle le grand maître l'avait laissée retourner au monastère aussi facilement. Toute cette histoire de mission et d'espionnage, c'était de la frime. Pas un seul instant il ne lui avait fait confiance. Il s'était même évertué à l'humilier, il avait pris un malin plaisir à lui démontrer que Lloth et ses adeptes n'étaient pas de taille à lutter contre les fidèles de Naak, ni par leur force militaire ni par leur ruse. Ylaïs se mordit la lèvre inférieure jusqu'au sang. Le carnage, à présent inévitable, allait être effroyable. Et jamais elle ne deviendrait la première prêtresse.

Elle n'eut que le temps d'adresser une dernière prière à Lloth. Une volée de flèches incandescentes s'envolait déjà en direction du monastère.

La guerre civile venait de commencer.

# 17

L'aube se levait. Luna bâilla sans retenue.

— Fatiguée, on dirait ! se moqua gentiment Kendhal. Il faut dire que la nuit a été courte.

— C'est vrai, mais cela en valait la peine. Ton piège est vraiment au point. Ce qui l'est moins ce sont les tours de garde que tu nous imposes.

— Eh, un roi doit savoir se faire obéir !

Luna répondit à sa plaisanterie par un sourire, mais cela suffit à réchauffer le cœur de son ami.

Il y avait dix minutes déjà qu'ils marchaient ensemble le long de la berge ouest en direction d'Hysparion. Le jour pointait derrière les frondaisons. Malgré la légère bruine, l'air était doux.

— Tu te rends compte ? C'était la première fois qu'on passait la nuit ensemble, murmura

Kendhal au creux de l'oreille de Luna. C'était romantique, ne trouves-tu pas !

Elle le toisa avec étonnement avant d'éclater de rire.

— Tu parles ! Se lever à deux heures du matin pour surveiller la statuette d'Eilistraée jusqu'à ce que Darkhan et Platzeck prennent notre relève à six heures, ce n'est pas vraiment ce que j'appelle une nuit romantique.

— Oh, tu vois toujours le mauvais côté des choses ! s'écria Kendhal. Dis-toi que nous étions tous les deux. C'est déjà bien. Tu aurais pu tomber avec Platzeck.

— Aucun risque, gloussa Luna. Je te rappelle que c'est toi qui as établi les tours de garde.

— Ah oui ? Eh bien, le hasard a bien fait les choses…

— Le hasard, bien sûr. Dis plutôt que tu mourais d'envie de passer quatre heures à mes côtés…

Cette fois, ce fut au tour de Kendhal d'éclater de rire.

— Ah, Luna, ce que je suis heureux que nous ayons retrouvé notre complicité passée ! Cela me manquait énormément. Après toutes ces semaines qu'a duré ta convalescence, j'ai craint que rien ne soit plus jamais pareil entre nous. En réalité, j'avais peur d'avoir un peu brusqué les choses en t'embrassant sur la plage et je craignais que ce ne soit là la vraie raison de ton départ, justement.

Luna sentit ses joues s'échauffer et baissa les yeux.

— Ne te méprends pas, Kendhal, j'ai adoré ce moment. C'était vraiment magique, crois-moi ! Si j'ai quitté la forteresse d'Aman'Thyr, c'était uniquement pour tenter de sauver mon grand-père en trouvant les fleurs de sang. Ce n'était en aucun cas pour te fuir.

— Pourtant, lorsque tu es revenue de chez sire Lucanor, tu semblais tellement différente, presque distante, alors que moi je brûlais d'envie de te serrer à nouveau dans mes bras !

— Ah bon ? fit Luna en haussant les épaules. Peut-être était-ce à cause des épreuves que j'avais traversées. Entre la morsure du vampire, celle du lycaride et mon combat contre le loup-garou, ça n'a pas été facile tous les jours. Mais, tu sais, c'est marrant que tu penses que j'ai changé. Moi, de mon côté, je te trouvais également moins disponible. Tu étais toujours très occupé, tu prétextais des réunions, des courtisans à voir, des affaires à régler…

— Mais j'avais réellement tout ça à faire ! se justifia le jeune homme.

— Au point de ne pas pouvoir m'accorder une minute ?

Kendhal sembla réfléchir un instant.

— Tu as raison, Luna, c'est vrai qu'environ une semaine après ton retour j'ai essayé de m'éloigner un peu de toi. J'avais peur qu'à force de trop te tourner autour tu finisses par me trouver envahissant.

Luna s'arrêta pour le fixer avec intensité.

— Kendhal, que les choses soient claires entre nous. Je ne t'ai jamais trouvé importun. Si un jour cela devait arriver, tu me connais, je te le dirais franchement.

— Merci, c'est rassurant ! plaisanta-t-il. Et si un jour j'ai envie de t'embrasser et que tu ne veux pas, tu me le diras ?

— Bien sûr, rétorqua-t-elle.

— Et là ? Tu ne me le dis pas ?

Luna se contenta de secouer la tête sans le quitter des yeux. Kendhal l'attira contre lui et passa doucement ses mains autour de sa taille. Lorsque leurs lèvres se rencontrèrent, leur cœur explosa dans leur poitrine, les chavirant de bonheur. Plus rien au monde n'importait sauf la communion de leur âme. Ils avaient beau être en plein milieu du chemin, à la vue du premier venu, seule l'intensité de leurs sentiments comptait.

— Tiens, c'est étrange, murmura Kendhal. Elbion n'a pas surgi à l'improviste, cette fois.

Comme si l'allusion au loup venait de rompre le charme de ce moment d'intimité,

Luna se dégagea doucement et se remit à marcher, le visage fermé.

— Oh, celui-là, ce qu'il peut m'énerver, en ce moment! Tu te rends compte qu'il n'est même pas rentré cette nuit!

— Il lui est peut-être arrivé quelque chose? s'inquiéta Kendhal.

— Non, je pense plutôt qu'il me cache quelque chose. Lorsque j'essaie d'avoir une discussion sérieuse avec lui, comme avant-hier soir, il s'esquive, il me parle de ses soi-disant nouveaux amis ou il fait carrément la sourde oreille. Ce petit sourire en coin qu'il arbore en me fixant m'agace au plus haut point.

Kendhal s'arrêta, interloqué.

— Tu as bien dit que tu essayais d'avoir une discussion sérieuse avec lui?

Face à l'incompréhension dont témoignait l'expression de son ami, Luna rit de bon cœur.

— Oups, on dirait que j'ai oublié de te confier un léger détail…

— Lequel? fit le jeune homme en sourcillant. Tu ne vas quand même pas me dire que tu… que tu parles avec Elbion?

Luna esquissa un sourire.

— Cela va sans doute te surprendre, mais depuis que sire Lucanor m'a mordue je comprends ce que disent les loups. Tous les loups. C'est un effet secondaire, paraît-il.

Kendhal resta un moment sans voix, trop sonné pour parler. Enfin, il s'écria :

— Mais c'est fantastique ! J'adorerais posséder un tel don.

— C'est vrai que c'est bien, mais le fait de parler avec Elbion ne me permet pas toujours de le comprendre pour autant. La preuve... Et puis, ce talent est très limité et ne sert franchement à rien en ce qui concerne notre histoire de voleur. Alors que toi, tu as eu une idée remarquable en proposant qu'on fabrique un leurre pour piéger le coupable. J'espère que nous allons bientôt le prendre sur le fait.

Kendhal acquiesça pensivement. Luna soupira, mais n'ajouta rien. Tous deux mettaient beaucoup d'espoir dans le stratagème élaboré par le jeune homme et comptaient piéger au plus vite le malfaisant individu qui avait volé les talismans et attaqué trois personnes dévouées, Syrus, Cyrielle et Bromyr.

Les deux amis restèrent silencieux jusqu'à ce qu'ils arrivent à Hysparion. Là, ils gravirent les marches de la résidence royale et montèrent jusqu'à la chambre du général. Kendhal avait hâte de prendre de ses nouvelles. Il fut surpris de le trouver assis, en train de lire.

— Eh bien ! mon cher Bromyr, tu sembles aller nettement mieux !

Le général posa prestement son livre et sourit aux deux jeunes gens.

— Alors ? Comment s'est déroulée ta visite à Eilis ? s'enquit-il avec fébrilité. Les soldats m'ont appris que tu avais obtenu une audience privée avec Edryss et que tu leur avais ensuite ordonné de rentrer, mais je n'en ai guère appris davantage.

— Il est vrai qu'Edryss m'a reçu chez elle. Darkhan, Luna et Platzeck étaient également présents et nous avons beaucoup discuté. Nous en sommes arrivés à la conclusion qu'il était impossible que ce soit un drow qui t'a attaqué.

Bromyr manqua s'étrangler.

— Hein ! suffoqua-t-il. M'accuseriez-vous d'être un menteur ?

— Absolument pas, expliqua calmement Luna. Mais réfléchissez un instant. Si c'était réellement un adepte de Lloth qui vous avait poignardé, aurait-il fait l'erreur d'abandonner son arme ici ? C'était une preuve accablante de sa culpabilité. Les drows peuvent être foncièrement mauvais, mais jamais stupides.

— Mais… mais… il n'a pas oublié son poignard ici, c'est moi qui ai réussi à le lui arracher.

Luna ne put s'empêcher de lever les yeux au ciel.

— Une preuve de plus qu'il ne s'agit pas d'un traître drow. Il aurait préféré vous tuer à mains nues plutôt que de laisser le moindre indice permettant de retrouver sa trace.

Loin de se laisser convaincre, le général, rouge de colère, insista encore.

— Mais je ne suis pas fou ! Je sais bien ce que j'ai vu. Ce regard de feu, luisant comme deux rubis dans les ténèbres de sa capuche...

— Le malfaiteur avait sans doute utilisé une cape magique, déclara Kendhal. J'en possédais moi-même une, autrefois, et je t'assure que l'illusion est parfaite.

Luna, qui commençait à en avoir assez des objections du général, ne put s'empêcher d'ajouter :

— Bromyr, je sais que vous n'appréciez pas vraiment nos amis elfes noirs. L'idée que l'un d'entre eux ait pu commettre ces vols ne vous déplaisait pas, mais il faut vous rendre à l'évidence : le coupable est un elfe de lune ou un elfe de soleil.

— Et pourquoi pas un avariel ? demanda Kendhal, en se retournant vers son amie.

— Jamais un avariel n'aurait osé dérober le parchemin d'or. Impossible ! Pas après ce qui est arrivé à Nydessim. Ce parchemin est bien plus qu'un talisman, c'est le lien qui les unit au dieu dragon, c'est le ciment de leur nouvelle vie ici. En outre, pour un avariel, toucher cet objet serait un sacrilège qui le condamnerait aux yeux d'Abzagal. Le voler reviendrait à signer son arrêt de mort.

Mais le général ne se contenta pas de cette réponse.

— Parce que vous croyez qu'un elfe doré aurait pu commettre le sacrilège de voler le bouclier des anciens ? fulmina-t-il.

— Parfaitement ! Au même titre qu'un elfe argenté a très bien pu s'emparer de l'écorce abritant l'esprit de Ravenstein. Je n'accuse personne, mais nous voiler la face ne servirait à rien. Lorsqu'on mène une enquête, il faut être lucide. Et objectif !

Bromyr se renfrogna, mais ne trouva rien à ajouter. Luna s'approcha de la fenêtre. Elle mourait d'envie de lire dans l'esprit du général, mais n'osait pas le faire. Elle craignait qu'il s'en aperçoive et s'en offusque. C'était en effet très impoli, de s'introduire dans les pensées d'autrui. Pourtant, elle aurait donné cher pour savoir ce que Bromyr avait réellement vu la nuit de son agression.

Kendhal, qui souhaitait apaiser les tensions, ajouta :

— Ne t'inquiète pas, Bromyr, nous ne tarderons pas à connaître l'identité du coupable.

Le général sursauta, les yeux chargés d'incompréhension.

— Comment cela ?

— J'ai mis au point un stratagème pour piéger le voleur.

Luna, qui observait le lac, fit brusquement volte-face, mais Kendhal, qui lui tournait le dos, continua :

— J'ai demandé à Edryss de fabriquer une fausse statuette d'Eilistraée et nous l'avons exposée dans une salle du palais de Laltharils afin de…

— Hum ! toussota fortement Luna pour lui couper la parole. Inutile d'ennuyer ton général avec ces détails superflus. Maintenant qu'il est cloué sur ce lit, il ne risque plus rien de toute façon. Nous avons même suffisamment abusé de sa patience ; nous devrions le laisser se reposer.

Kendhal hocha la tête en souriant.

— Luna a raison, Bromyr. Surtout, repose-toi bien. Je reviendrai te voir dans la soirée avant mon tour de garde.

— Parce que c'est toi qui montes la garde ? réalisa le général, consterné. Mais c'est de la folie ! Regarde comment ce fou m'a sauvagement agressé. Il est hors de question que tu risques ta vie pour…

— Ne te fais pas de soucis, le rassura le jeune roi. Luna m'accompagnera et son pouvoir est plus puissant que celui de n'importe quel sorcier expérimenté. À nous deux, nous déjouerons les intentions de ce criminel, crois-moi sur parole.

Bromyr ne semblait en rien rassuré, mais Kendhal ne s'en formalisa pas et quitta la chambre sans tarder. Il dévala l'escalier sur les traces de Luna. Une fois dans le hall d'entrée, celle-ci se retourna pour lui faire face. Elle semblait furieuse.

— Eh bien, vas-y ! tu n'avais qu'à lui dévoiler tous nos secrets, pendant que tu y étais !

Kendhal se pétrifia, incrédule.

— C'est bien toi, hier, qui nous as fait promettre de ne dévoiler à personne les différents aspects de ton plan, hein ?

— Mais, enfin, Luna, il s'agit de Bromyr, mon général, le confident de mon père !

— Et alors ! riposta l'adolescente. Darkhan n'a rien dit à Assyléa, sa propre femme. Et moi, je n'ai rien dit à Ambrethil, la reine, ma mère. Tu te rends compte ? Elle a accepté de prendre la responsabilité de protéger ce qu'elle croit être le vrai talisman des drows, alors qu'elle ne sait même pas que tout cela n'est qu'un piège.

Le jeune homme resta coi. Luna avait parfaitement raison. Emporté par son enthousiasme, il avait trahi sa parole et cela le rendait fort mal à l'aise.

— Désolé ! confessa-t-il. J'ai eu tort, je le reconnais. Mais ce n'est pas une catastrophe. Bromyr est quelqu'un de confiance. Il n'ira pas répéter ces informations à qui que ce soit, d'autant moins que, comme tu l'as dit toi-même, il est cloué au lit.

— Eh bien, je l'espère ! répartit Luna en tournant les talons. Ce serait dommage que ta mise en scène savamment orchestrée tombe à l'eau à cause de ton général. Il a déjà causé assez de dégâts comme ça, tu ne crois pas ?

Kendhal faillit protester, mais il se ravisa. Il n'avait pas envie de se fâcher avec son amie.

— Où vas-tu ? se contenta-t-il de lui demander alors qu'elle enfilait sa veste.

— Je vais rendre une petite visite à Thyl et voir comment se porte Cyrielle. Mais, ne t'inquiète pas, je ne dirai pas un mot de notre plan, moi !

Le jeune homme leva les yeux au ciel et lui saisit la main.

— On se voit ce soir, de dix heures à deux heures du matin ?

— Oh, le hasard nous réunit à nouveau! dit-elle avec un sourire ironique. Ça alors, c'est génial!

Au lieu de lui répondre, Kendhal porta la main de Luna à ses lèvres pour l'embrasser.

La nuit était tombée depuis plusieurs heures déjà. Kendhal et Luna surveillaient en silence le faux talisman des drows depuis leur cachette. Tapis à l'étage, derrière la rambarde ajourée, ils surplombaient la statuette posée sur son piédestal, espérant que le voleur ferait bientôt une tentative.

La porte de la salle avait été verrouillée, mais cela ne devait pas poser de problème à un voleur capable de déjouer les protections mises au point par Bromyr. Et puis, qu'elle ne fût pas fermée à clé aurait sans doute éveillé les soupçons du malfaiteur.

L'obscurité était totale. Aucun bruit ne venait troubler la quiétude nocturne.

— Au fait, comment va Cyrielle? chuchota Kendhal.

— Nettement mieux, mais ses souvenirs restent confus, répondit Luna à voix basse. Elle se souvient d'avoir vu une silhouette encapuchonnée s'échapper de la salle juste avant de perdre connaissance, mais l'image dans sa tête est assez floue.

— En tout cas, tout semble converger vers le même individu.

— J'en sais rien. Pour le moment, la seule personne que j'ai vue avec une telle cape, c'était Platzeck, et il ne s'en est pas caché. Dis, je me demandais… Est-ce que tu as raconté à Bromyr que j'avais vu un drow dans les rues d'Hysparion ?

— Bien sûr ! murmura Kendhal. Pourquoi ?

— Non, pour rien, fit Luna, songeuse.

Soudain un bruit suspect interrompit leur conversation.

Leurs regards se tournèrent vers la porte d'entrée, à l'autre bout de la pièce. Ils remarquèrent immédiatement qu'un étrange halo bleuté et diffus englobait la poignée. Le battant s'entrouvrit lentement et une silhouette se faufila dans la salle.

Kendhal et Luna, pétrifiés, retinrent leur souffle.

Sous leurs yeux, l'intrus, enveloppé dans un large manteau à capuche, se glissa jusqu'au piédestal où reposait le talisman. Il le contempla un moment sans rien faire. Il semblait hésiter.

— J'utilise mon pouvoir maintenant ? demanda Luna par télépathie.

— Pas encore, répondit Kendhal de la même manière. N'oublie pas qu'Edryss a piégé la statuette. Une simple pression suffira à déclencher un des dards anesthésiants. Attendons.

— Mais s'il l'évite ? Ou s'il ne la touche pas ?

— Dans ce cas, tu pourras libérer ta force intérieure. Tiens-toi prête.

Les deux jeunes gens virent la main du malfaiteur s'approcher de la statue d'albâtre. Une main noire, une main de drow. Kendhal et Luna échangèrent un regard consterné. Au même moment, un faible sifflement suivi d'un gémissement sourd leur apprit que le voleur venait de toucher le faux talisman. La silhouette s'effondra sur le sol.

D'un même élan, Kendhal et Luna quittèrent leur poste d'observation, dévalèrent l'escalier de la mezzanine et foncèrent vers le corps inerte. L'adolescente sentait son cœur battre comme s'il allait sortir de sa poitrine. Elle allait enfin découvrir l'auteur de tous ces vols.

Kendhal ralentit pour laisser son amie s'approcher la première. Luna s'agenouilla lentement auprès du voleur. D'une main hésitante, elle repoussa la large capuche. Sa surprise fut telle qu'elle ne put retenir un cri de stupeur.

— Non ! Oh, non pas elle ! gémit-elle d'une voix sourde en pâlissant.

Kendhal s'empressa de la rejoindre et découvrit, atterré, le visage d'Assyléa.

# 18

Matrone Sylnor contempla les nuées de flèches incandescentes qui s'élevaient dans l'immense cavité naturelle qui abritait le cœur de la cité. Telles les fusées d'un feu d'artifice géant, elles sifflèrent, déchirant la nuit de leur lumière dorée. Lorsque leur course fléchit et qu'elles menacèrent de retomber de l'autre côté des remparts, l'adolescente ne fit pas un geste pour les éviter, comme hypnotisée par la beauté du spectacle.

Ce fut Ylaïs qui réagit la première en créant un champ de force pour les abriter toutes les deux. Les flèches de feu rebondirent dessus sans les blesser.

— Maîtresse, il faut absolument ordonner à vos troupes de riposter, cria-t-elle pour couvrir le son des tambours de guerre qui battaient à tout rompre.

Comme dépassée par les événements, matrone Sylnor se contenta de hausser les épaules.

— À quoi bon ! Ils sont bien trop nombreux, jamais nous ne pourrons…

Mais Ylaïs ne l'écoutait déjà plus. Tournée vers les deux guerrières qui les avaient escortées, elle demanda :

— Combien êtes-vous ?

— Une centaine. Les archères ont déjà commencé à attaquer, mais il nous faut du renfort. Les prêtresses et les clercs doivent nous rejoindre pour bombarder cette foule de sorts destructifs.

— Excellente idée ! Je cours les chercher, annonça Ylaïs en s'engouffrant dans l'escalier.

Matrone Sylnor resserra son drap autour de sa poitrine et s'élança presque aussitôt à sa suite.

— Attends ! s'écria-t-elle dans son dos. Je te rappelle que le clergé a été divisé en trois équipes. Celles de Caldwen et de Thémys ne t'obéiront sûrement pas.

— Je leur dirai que l'ordre vient de vous.

— Oui, mais s'il émane de la première prêtresse elles ne pourront que se plier à ta volonté.

Ylaïs sentit son cœur faire un saut périlleux dans sa poitrine. Elle ne parvint pas à déglutir, tant l'émotion la submergeait. Stupéfaite, elle vit la main de matrone Sylnor se poser sur son front. Dans sa paume brillait une lueur orangée. La brûlure fut vive, presque insupportable, mais tellement fugace qu'elle ne fut bientôt plus qu'un souvenir.

— Te voilà marquée du sceau de la déesse, lui dit la matriarche, l'air grave. Maintenant, va ! Va réunir l'armée de Lloth.

Une araignée tatouée sur le front, Ylaïs disparut dans les ténèbres du monastère.

Lorsque matrone Sylnor remonta sur les remparts, elle fila en direction d'une meurtrière pour évaluer les pertes subies par les rebelles. Devant leur nombre effarant, ses épaules s'affaissèrent, mais elle se morigéna mentalement. À quoi s'attendait-elle ? Comment, en quelques minutes, aux prises avec une centaine d'archères, la masse compacte des attaquants aurait-elle pu diminuer ?

Elle se demanda si l'orbe énergétique octroyé par la déesse lui serait d'une quelconque utilité face à autant d'adversaires. Luna serait-elle capable de les balayer comme des fétus de paille ? En tout cas, matrone Sylnor doutait d'y parvenir. Déjà qu'elle éprouvait des difficultés à foudroyer une seule personne, il serait bien inutile d'essayer sur des milliers de combattants.

Soudain tout l'édifice fut violemment ébranlé par une secousse aussi brutale qu'intense. La jeune matriarche affolée resta tétanisée un moment avant de courir se mettre à l'abri d'une échauguette. Le temps qu'elle l'atteigne, le bâtiment trembla à nouveau, manquant de la faire glisser.

— Que se passe-t-il ? hurla-t-elle à l'archère postée là qui bandait son arc en direction des assaillants.

— Ils sont venus à bout des protections magiques qui verrouillaient les grandes portes et ils cherchent maintenant à les enfoncer à l'aide d'un bélier. Regardez, là, sur votre gauche. J'ai beau viser les porteurs, ils sont tellement nombreux qu'à chaque fois que j'en touche un il y en a deux qui prennent la relève. C'est désespérant !

Matrone Sylnor sentait croître son anxiété, quand elle vit Ylaïs jaillir des escaliers, suivie de centaines de prêtresses et de clercs. Toutes avaient revêtu leur cotte de mailles et semblaient prêtes à en découdre avec l'ennemi. Leur visage fermé reflétait leur détermination et leur férocité. Avec ordre et diligence, elles se postèrent sans attendre aux endroits stratégiques des remparts afin de seconder les tireuses d'élite. À partir de ce moment, boules de feu, éclairs de glace, nuages empoisonnés et flèches acides se mirent à pleuvoir, décimant les adeptes de Naak.

Pourtant, le bélier cognait toujours inlassablement contre les portes du monastère. La matriarche prit peur. À quoi servait-il de défendre les murailles si leurs adversaires parvenaient à défoncer les vantaux pour se ruer à l'intérieur ?

En proie à la panique, elle exhorta les guerrières qui ne possédaient pas d'arc à la suivre. S'engouffrant dans un des escaliers à vis, elle dévala les marches quatre à quatre, toujours enveloppée dans son drap. Elle songea un instant que son accoutrement était fort inapproprié, mais elle avait plus urgent à faire que de se trouver des vêtements. Arrivée dans la grande cour, elle se précipita vers les portes monumentales pour vérifier leur état. Les multiples épaisseurs de bois renforcées par des traverses d'acier tenaient encore bon, mais la cadence des coups de bélier ne ralentissait pas et la porte finirait tôt ou tard par céder.

— Reculez, maîtresse, lui dit une des guerrières en brandissant un sabre à la lame recourbée. Si jamais ces fumiers parviennent à entrer, il ne faut pas qu'ils vous trouvent. Courrez vous mettre à l'abri !

— Certainement pas, rétorqua matrone Sylnor, pleine de rage. Ma place est à vos côtés.

L'autre contempla avec perplexité la gamine échevelée et à moitié nue qui lui faisait face, mais elle n'osa pas prendre le risque de la contredire. Après tout, c'était elle l'élue de Lloth. Elle devait savoir ce qu'elle avait à faire.

Les guerrières drows se répartirent en arc de cercle, face à la porte. Leurs armes dégainées luisaient d'un éclat sauvage, avides d'éventrer quiconque pénétrerait dans l'enceinte du monastère.

Matrone Sylnor se tenait un peu en retrait, les yeux rivés sur les battants, terrifiée mais plus déterminée que jamais, consciente que son destin et celui de la déesse araignée se joueraient là. Ou ses pouvoirs seraient assez puissants pour repousser l'ennemi et elle sortirait victorieuse de cet affrontement, ce qui permettrait à Lloth d'assurer sa suprématie quelques siècles encore, ou elles mourraient toutes les deux en abandonnant la cité souterraine au dieu scorpion.

Un coup de bélier plus fort que les autres fit craquer le bois. Quelques planches cédèrent dans un fracas sinistre, déformant le centre de la porte malgré les renforts métalliques.

L'adolescente tressaillit, mais sa volonté ne faiblit pas. Elle resta concentrée afin que, à l'instant même où les portes céderaient, la vague d'énergie jaillisse de son esprit pour balayer ses adversaires.

Les minutes s'écoulèrent, rythmées par les coups répétés et chaque fois plus destructeurs du bélier. Malgré les attaques des prêtresses qui ne cessaient de les harceler depuis les remparts, les infidèles ne semblaient pas vouloir mettre fin aux coups de boutoir. Finalement le bois se déchira dans un nuage d'échardes, ouvrant une brèche suffisante pour laisser passer un flot de guerriers déchaînés. Ils se déversèrent dans la cour intérieure en hurlant et en brandissant leur hache de guerre ou leur cimeterre.

Matrone Sylnor ouvrit aussitôt les vannes de son esprit pour libérer sa puissance mentale. Cinq soldats s'écroulèrent, foudroyés sur le coup. Mais c'était par dizaines que les adorateurs de Naak s'engouffraient dans le monastère.

Voyant leur maîtresse sans défense et en danger, les guerrières de Lloth se regroupèrent aussitôt autour d'elle pour la protéger des assauts des guerriers. Elles se battaient redoutablement bien, décapitant, perforant et éventrant sans pitié, mais elles étaient trop peu nombreuses pour résister aux flots de combattants.

Ce fut alors que se produisit la chose la plus terrifiante, mais aussi la plus fantastique qu'il leur ait été donné de voir de toute leur vie.

Le drap qui enveloppait leur maîtresse venait de voler en lambeaux en propulsant dans l'air une nuée de poussière blanche. À la place des membres délicats de la jeune fille, d'énormes pattes noires et velues grandissaient à vue d'œil, pendant que son corps, autrefois léger et gracieux, se transformait en un céphalothorax arachnéen recouvert de plaques cuirassées. Même le beau visage de matrone Sylnor avait disparu au profit d'un crâne aplati assorti de quatre paires d'yeux et de deux chélicères suintants de venin.

Les guerrières de Lloth, subjuguées par la métamorphose de celle en qui elles ne voyaient qu'une frêle gamine, reculèrent, partagées entre la crainte et la fascination.

Face à l'impression de puissance suprême de l'araignée géante qui se dressait à présent devant eux, les combattants lâchèrent leurs armes et cherchèrent à rebrousser chemin, mais des fils plus puissants que l'acier enserrèrent bientôt leurs membres ou leur cou comme autant d'étaux mortels. Ceux qui échappèrent aux soies collantes et parvinrent jusqu'à la porte furent piétinés par leurs alliés qui, n'ayant rien vu du prodige démoniaque, continuaient à s'engouffrer dans le monastère.

Dans sa folie destructrice, l'araignée s'en donna à cœur joie, taillant à coups de pattes tranchantes comme des lames de rasoir ou perforant les corps cuirassés grâce à ses mandibules acérées. Elle se déplaçait à une vitesse surprenante et avec une légèreté qu'on n'aurait pas crue possible, vu sa taille monumentale, si bien qu'elle semblait partout à la fois et qu'elle ne laissait aucune chance à ceux qui pénétraient dans la cour intérieure d'en ressortir vivants. Exaltées par la vue du sang, les guerrières drows imitèrent leur maîtresse et redoublèrent de férocité et de violence.

La cour ne fut bientôt plus qu'une mare écarlate jonchée de corps disloqués. À présent, plus un seul guerrier n'osait franchir la porte éventrée. Les mandibules rougies, l'araignée gigantesque poussa un cri de victoire strident.

En haut des murailles, toutes les combattantes alertées s'immobilisèrent pour jeter un coup d'œil en contrebas. Ce qu'elles découvrirent les laissa stupéfaites. Pourtant, elles n'étaient pas au bout de leurs surprises.

Trop grande pour se faufiler par les portes du monastère, l'araignée géante entreprit d'escalader le mur d'enceinte intérieur. Aussi agile et rapide à la verticale qu'à l'horizontale, la créature atteignit les remparts en quelques secondes. Effrayées, les prêtresses et les archères s'écartèrent pour laisser place nette au monstre.

Dressée sur ses pattes postérieures, l'araignée se planta face à la masse des rebelles qui commençaient à montrer des signes d'affolement et poussa un nouveau cri aigu.

La panique se propagea parmi les adeptes de Naak. À présent, c'était chacun pour soi et tous tentèrent de quitter l'esplanade qui s'étalait au pied du monastère. C'était sans compter sur la sauvagerie de l'araignée.

L'énorme prédateur affamé se jeta du haut de la muraille et atterrit en souplesse sur les malheureux qui n'avaient pas encore eu le temps de fuir. À elle seule, elle fit un carnage.

Sur les remparts, Ylaïs était en admiration devant le massacre. Elle ne put retenir un sourire mauvais en voyant l'araignée embrocher furieusement un drow à la crinière rousse pour lui arracher la tête d'un coup de chélicère. Le grand maître de Naak ne s'assiérait jamais sur le trône de Rhasgarrok!

Un sentiment de fierté s'empara de la jeune femme. Elle était la première prêtresse de la seule matriarche capable de se transformer en arachnide géant. Qu'importait à présent que matrone Sylnor n'ait qu'une douzaine d'années. Elle surpassait largement toutes les matrones qui l'avaient précédée. Désormais, toute la ville tremblerait devant elle.

Ylaïs comprit que sa fidélité lui était acquise pour l'éternité.

# 19

Luna se sentit défaillir. Son cerveau fébrile bouillonnait de questions.

Comment Assyléa, sa meilleure amie, la femme de Kendhal, avait-elle pu voler les talismans ? Comment s'y était-elle prise, où les avait-elle cachés et surtout pourquoi s'était-elle livrée à des gestes aussi déplorables ? Était-elle toujours sous la coupe de Lloth ? Malgré sa conversion au culte d'Eilistraée, malgré son union avec le petit-fils d'Hérildur, malgré ses sourires et sa gentillesse apparente, Assyléa cachait-elle une âme damnée ? Était-ce elle, la traîtresse dont Bromyr soupçonnait l'existence ? Comment avait-elle fait pour tous les tromper ?

Les inquiétudes de Darkhan concernant sa jeune épouse lui revinrent soudain en tête. Son comportement curieux lui causait du souci, de même que ses insomnies qui l'obligeaient à sortir la nuit. S'était-il fait duper comme tout le monde ?

Luna ne put contenir son chagrin plus longtemps et elle éclata en sanglots. Terriblement mal à l'aise, Kendhal posa sa main sur son épaule pour la réconforter, mais cela n'eut guère l'effet escompté. Les pleurs de Luna redoublèrent.

— Kendhal, dis-moi que c'est impossible. Dis-moi que ce n'est pas Assyléa la coupable.

Mais le jeune homme ne trouva rien à dire. La peine et la déception le submergeaient trop pour qu'il puisse s'exprimer sereinement.

Au bout de quelques minutes, Luna sécha néanmoins ses larmes d'un geste rageur et se releva brusquement. Lorsqu'elle se tourna vers lui, son visage reflétait une détermination nouvelle.

— Darkhan et Platzeck ne vont pas tarder à arriver pour prendre notre relève. Je ne veux pas qu'ils la trouvent là.

— Mais enfin, Luna, on ne peut pas...

— Aide-moi à la transporter jusqu'à ma chambre. Je t'en supplie.

Comme le jeune homme hésitait, elle ajouta d'une voix ferme :

— Je veux comprendre, Kendhal. Je veux lui laisser une chance de s'expliquer. C'est mon amie. Ma meilleure amie.

L'elfe de soleil grimaça, mais il finit par acquiescer. Il souleva sans difficulté le corps de la drow inconsciente et rejoignit Luna près de la porte encore entrouverte. Ils la refermèrent derrière eux, sans oublier de prononcer les formules qui verrouillaient l'accès à la salle. Sans un bruit, ils se faufilèrent dans les couloirs déserts du palais.

« Pourvu qu'on ne tombe sur personne, se disait Luna, minée par l'angoisse. Surtout pas sur Darkhan et Platzeck. Je t'en prie Eilistraée, écoute-moi ! »

La bonne déesse entendit-elle sa prière désespérée ? Quoi qu'il en soit, les deux adolescents ne rencontrèrent pas âme qui vive et regagnèrent rapidement les appartements de la princesse. Kendhal déposa la jeune femme toujours endormie sur le lit de Luna.

— Il vaudrait mieux que je retourne dans la salle, fit Kendhal à voix basse. Nos amis vont trouver étrange que nous ne soyons plus à notre poste. Ils risquent de s'inquiéter et d'alerter tout le palais.

— Tu as raison. Vas-y et invente n'importe quelle excuse pour expliquer mon absence.

Mais ne dis à personne que le mécanisme permettant d'inoculer le venin au voleur a été déclenché. Moi, je vais attendre ici que les effets du sédatif se dissipent. Dans combien de temps crois-tu qu'elle se réveillera ?

— Aucune idée. Mais je pense avoir largement le temps de revenir ici pour…

— Pour neutraliser Assyléa si elle me menace ? termina Luna en souriant.

— Heu… eh bien, on ne sait jamais ! Je te rappelle qu'elle t'a déjà piégée une fois.

Luna soupira. C'était effectivement à cause de la jeune femme qu'elle s'était retrouvée dans l'antre de matrone Zesstra, presque deux ans auparavant.

— Pars sans crainte ; je ne pense pas qu'Assyléa me fera du mal. Mais sois sûr que si elle cherche à m'attaquer je n'hésiterai pas à utiliser mon pouvoir contre elle. C'est promis.

Kendhal hocha la tête et déposa un baiser sur sa joue avant de s'en aller.

Luna approcha un fauteuil à côté du lit sans quitter des yeux son amie. Assyléa paraissait tellement inoffensive ainsi endormie…

L'adolescente commençait à s'assoupir lorsqu'elle entendit un froissement d'étoffe. Elle se réveilla en sursaut.

— Pas de panique, la rassura Kendhal, ce n'est que moi.

— Oh, tu as fait vite, cornedrouille !

— Darkhan et Platzeck avaient un peu d'avance. Heureusement, j'avais eu le temps de rejoindre mon poste. Je leur ai dit que tu étais tellement fatiguée que tu étais allée te coucher. Ni l'un ni l'autre n'a semblé s'en formaliser. Thyl, qui venait de rendre visite à Bromyr, semblait soucieux. Quant à Darkhan, il était bien trop tracassé par l'absence de sa femme. Ses crises d'insomnie le préoccupaient de plus en plus.

— Tu ne lui as rien dit ? s'inquiéta Luna.

— Non, évidemment, mais nous n'allons pas pouvoir garder le secret bien longtemps.

Luna opina en silence et invita le jeune roi à s'asseoir à ses côtés.

— Tu sais, pendant ton absence, j'ai beaucoup réfléchi et il y a deux ou trois trucs qui me chiffonnent.

— Quoi ? demanda Kendhal à voix basse.

— Comment Assyléa a-t-elle pu voler le talisman des elfes de lune le soir de son mariage, alors qu'elle était parmi nous à trinquer et à recevoir ses cadeaux ? Cela n'a pas de sens !

— Ne s'est-elle pas éclipsée, à un moment donné ?

— Si, pour faire ce que tout le monde a besoin de faire à un moment ou un autre, sûrement. Mais je vois mal Assyléa dans son splendide fourreau poursuivre Syrus, le frapper, voler la relique et courir la cacher sans que personne ne s'aperçoive de son absence. C'était tout de même la mariée, je te le rappelle !

Kendhal haussa les épaules dans un geste d'ignorance.

— En plus, poursuivit Luna, Assyléa possède un pouvoir de séduction indéniable qui lui aurait permis d'anéantir toute tentative de résistance de la part de Bromyr lorsque votre bouclier a été volé. Ton général a bien dit avoir été attaqué, qui plus est avec un poignard. Mais Assyléa ne sait pas se battre !

— Peut-être nous a-t-elle caché certains de ses dons pour endormir notre méfiance.

— Je n'y crois pas, assura Luna avec conviction. Toute cette histoire ne colle pas. J'ai vraiment hâte qu'Assy revienne à elle et nous explique le fin mot de…

— Chut ! Je crois qu'elle a bougé. Regarde.

Assyléa remua la tête en gémissant faiblement. Elle ouvrit les yeux et sembla surprise de se trouver dans un lit. Elle se redressa lentement et regarda à gauche, là où aurait dû se trouver son mari. Son absence lui fit froncer les sourcils. Puis elle sembla réaliser qu'elle n'était pas dans sa chambre et se raidit brusquement. À moitié affolée, elle regarda à droite et sursauta en apercevant Kendhal et Luna qui la dévisageaient avec sévérité.

— Oh, vous m'avez fait une de ces peurs ! lâcha-t-elle. Mais que faites-vous là ?

Avant que Luna ait le temps de répondre, Kendhal se leva pour se planter devant elle.

— Ce ne serait pas plutôt à toi de nous expliquer ce que tu faisais auprès du talisman des drows ?

Devenue livide, la jeune femme resta pétrifiée. Comme si tous ses souvenirs affluaient d'un coup, elle se mit à trembler.

— Ce… ce n'est pas ce que vous croyez ! s'écria-t-elle en cherchant le regard de Luna. Je n'ai jamais voulu m'emparer de la statuette d'Eilistraée, jamais ! Et ce n'est pas moi non plus qui ai dérobé les trois autres. Tu me crois, hein, Luna ?

L'adolescente acquiesça en silence, sans piper mot, en attente de la suite.

— Dans ce cas, pourquoi es-tu entrée par effraction dans la salle où nous la surveillions ? s'enquit Kendhal dont le regard inquisiteur semblait jeter des éclairs.

Le visage d'Assyléa se décomposa complètement.

— Parce que vous avez assisté à toute la scène ? réalisa-t-elle avec stupeur.

— Oui, nous étions cachés dans la mezzanine, déclara Luna, et je t'avoue que j'en suis encore toute bouleversée.

— Oh, non... Crois-moi, je suis innocente ! Je te jure que je n'ai rien à voir avec la disparition des talismans. D'ailleurs, j'ai honte de l'avouer, mais je ne me sens pas du tout concernée par cette histoire.

Devant la mine consternée de son amie, elle s'empressa d'ajouter :

— J'ai tellement d'autres soucis en tête...

— Lesquels ? s'étonna Luna.

Assyléa expira lentement et baissa les yeux avant de confier dans un souffle :

— Je crois que je suis enceinte !

Kendhal et Luna sursautèrent, abasourdis. Ils échangèrent un regard dérouté, puis Luna reprit la parole :

— Eh bien, pour une surprise, c'est une sacrée surprise ! Mais c'est une nouvelle formidable ! Pourquoi parles-tu de soucis ?

— Tu te souviens de la réaction de Darkhan lorsque tu as parlé de bébés le soir du mariage ?

Luna hocha vivement la tête en se mordant la lèvre inférieure. C'était vrai que son cousin n'avait guère l'air pressé de devenir papa.

— Je ne lui ai encore rien dit, reprit la jeune femme en rougissant. Je crains sa réaction, en fait. J'ai peur qu'il ne partage pas ma joie. Tout cela est arrivé tellement vite ! Je… je ne sais absolument plus où j'en suis. Ça m'empêche même de dormir. Presque toutes les nuits, j'y pense. J'ai peur qu'il finisse par se douter de quelque chose.

— Je suis certain que Darkhan sera fou de joie, la rassura Kendhal en souriant. Quoi de plus beau que de donner la vie ? Il faut absolument que tu le mettes au courant. Mais… il y a quelque chose que je ne parviens pas à saisir : pourquoi tenais-tu à t'approcher de la statuette ? Je ne vois pas bien le rapport entre le talisman et ta possible grossesse.

— Edryss m'a un jour confié que la statuette porte bonheur aux femmes enceintes. Je voulais que la bonne déesse m'aide à trouver les mots pour convaincre Darkhan. Mais je n'osais pas demander à Edryss de me dévoiler sa cachette. Avec toutes ces histoires de vols, j'avais peur que ma requête paraisse louche. Quand j'ai appris que la figurine reposerait au palais, j'ai compris que l'occasion de m'entretenir avec Eilistraée ne se représenterait pas deux fois, mais je ne pensais pas tomber dans un traquenard.

— En plus, il ne s'agissait que d'une copie piégée de la statuette, confia Kendhal. Le moindre contact avec elle déclenchait l'envoi d'une fléchette sédative. C'est Edryss qui détient toujours la vraie.

Il se mordit aussitôt la lèvre, soudain conscient d'en avoir trop dit une fois de plus. Mais cette fois Luna ne sembla pas lui en tenir rigueur. Elle ajouta même :

— Il faut que tu parles de tes inquiétudes à Edryss ; je suis certaine qu'elle fera une exception et qu'elle te laissera approcher la statuette.

— Oh, non, c'est bon ! j'ai compris la leçon, fit Assyléa en riant. Je crois que je vais rentrer bien sagement me recoucher et suivre ton conseil, Kendhal. Dès demain matin, j'affronterai mon destin et je ferai part de mes doutes à Darkhan.

— Ne t'en fais pas, je suis sûre qu'il sera très heureux que tu sois effectivement enceinte, déclara Luna en se forçant à sourire. Allez, il est temps que tu retournes chez toi. Kendhal, si on raccompagnait Assy ?

— Bien sûr ! déclara-t-il en aidant la jeune femme à se lever.

Après avoir reconduit la jeune femme chez elle, Kendhal et Luna se dévisagèrent avec un air indécis. L'un comme l'autre, ils n'avaient plus du tout envie de dormir.

— Que dirais-tu d'une petite promenade nocturne ? proposa l'elfe doré.

— J'accepte avec plaisir ! se réjouit Luna.

Sans attendre, ils regagnèrent la galerie des roses et empruntèrent l'escalier qui descendait vers le patio aux myrtes, celui-là même où Luna avait aperçu Platzeck en train de chercher le poignard qu'on lui avait volé. En se faufilant sous l'œil complice de la lune, les deux adolescents quittèrent Laltharils main dans la main en direction d'Hysparion.

Ils marchèrent un moment en silence pour ne pas troubler la quiétude de la nuit. Soudain, Kendhal sembla émerger de ses pensées.

— N'empêche, avec tous ces rebondissements, on ne sait toujours pas qui se cache derrière ces vols ! C'est quand même fou ça, que quelqu'un parvienne à nous narguer avec une telle effronterie. À nous tous, nous devrions finir par l'attraper, non, ce fichu voleur !

— Oui. Sauf si…

— Si quoi ?

L'adolescente secoua vivement la tête.

— Non, tu vas me trouver complètement ridicule.

— Allez, Luna, tu peux avoir confiance en moi. Dis ce que tu as sur le cœur.

— Eh bien, voilà ! Au début, j'avais des doutes sur Platzeck. Je t'avoue qu'il ne m'inspirait guère confiance et que je le soupçonnais d'avoir dérobé notre talisman pour le livrer à matrone Zélathory. Mais c'est exactement ce que voulait le malfaiteur en s'emparant de son poignard. Il voulait détourner l'attention et faire accuser le fils d'Edryss. En fait, je me rends compte que le voleur s'avère un formidable manipulateur. Il est en train de se jouer de nous.

— Je suis entièrement d'accord avec toi, mais cela ne nous dit pas de qui il s'agit.

Luna prit une grande inspiration.

— Réfléchis. Ne serait-ce pas quelqu'un en qui nous avons tous confiance, qui était indigné du vol de notre relique et qui a été le premier à montrer du doigt la communauté drow ?

Kendhal écarquilla les yeux.

— Thyl ? Non ! jamais il n'aurait assommé sa propre cousine et…

— Ce n'est pas à lui que je pensais ! le coupa brusquement Luna.

Le jeune roi la regarda, les yeux chargés d'interrogations. Luna, pleine d'impatience, finit par s'écrier :

— Mais enfin, bigredur, cela ne peut être que Bromyr !

Kendhal fronça d'abord les sourcils, puis, contre toute attente, il éclata de rire.

— Luna, voyons, tu n'es pas sérieuse ! Tu sais que je t'adore, mais là tu délires vraiment. Jamais Bromyr ne ferait une chose pareille. J'ai une confiance absolue en lui. Et je te rappelle qu'il a été sérieusement blessé par le malfrat.

Luna se renfrogna.

— Tu vois, je te l'avais bien dit, que tu me trouverais ridicule ! N'empêche que, moi, j'ai des doutes sur l'honnêteté de ton général. Cette soi-disant histoire d'agression me semble un peu suspecte.

— Là, je te trouve vraiment injuste. Je te signale qu'il n'a pas été le seul à avoir été soi-disant agressé. Ton amie Cyrielle aussi. Pourquoi ne la soupçonnes-tu pas, elle ? Elle fait également partie du Conseil et bénéficie de notre confiance !

— Jamais Cyrielle n'aurait volé le parchemin d'or.

— Et moi je soutiens que Bromyr n'aurait jamais volé le bouclier des anciens.

Luna fit la moue.

Kendhal n'avait pas tort. Bromyr et Cyrielle étaient exactement dans la même situation, sauf que Cyrielle était son amie et que Bromyr l'énervait avec son caractère soupe au lait. Luna se demanda si elle aussi n'était pas en train de céder à la facilité des préjugés.

— Un point pour chacun, finit-elle par concéder. Ton raisonnement est logique et je pense que je vais devoir réviser ma théorie. Toutefois je…

Deux loups jaillirent tout à coup du fossé et leur barrèrent le chemin.

— Salut, les tourtereaux, s'écria joyeusement Elbion. Décidément, vous êtes indécollables, en ce moment !

— Ah ! tu ne manques pas de toupet, toi ! rétorqua Luna, estomaquée. Tu n'es jamais là et tu me reproches de passer trop de temps avec Kendhal ?

— Je ne te reproche absolument rien, Luna. Je constate simplement que vous êtes toujours ensemble tous les deux, c'est tout.

— Oui, et moi je constate que tu ne sembles pas t'ennuyer : tu t'es trouvé un nouvel ami ?

Comme le regard de Luna s'attardait sur le loup gris foncé qui était resté un peu en retrait, Elbion reprit :

— Je te présente Scylla. Nous nous sommes rencontrés la semaine dernière, au sud de Ravenstein. Le soir du mariage, tiens.

— Scylla ? répéta Luna, incrédule. Tu veux dire que c'est une… ?

— Une louve, oui. Et je suis heureux que tu fasses sa connaissance.

En entendant prononcer son nom, la louve anthracite s'approcha timidement de l'elfe de lune. Ses yeux azur brillaient d'intelligence.

— Je suis enchantée de faire ta connaissance, Luna, fit-elle. Depuis le temps qu'Elbion évoque sa sœur qui parle avec les loups, j'avais hâte qu'il nous présente enfin.

Trop interloquée pour répondre, Luna resta tout d'abord muette avant de se rendre compte qu'en gardant le silence, elle se montrait sans doute fort impolie.

— Heu, moi aussi, Scylla, je suis contente de te connaître. Je ne m'attendais pas à ce qu'Elbion rencontre une… une amie aussi vite, mais je trouve cela formidable. Oui, vraiment !

— Tant mieux, reprit Elbion. En réalité, j'avais peur que tu le prennes mal. C'est pour cette raison que je rentrais peu et que j'évitais de discuter avec toi ces derniers temps. Je mourais d'envie de te parler de Scylla, mais je craignais ta réaction. Je n'avais pas la conscience tranquille, je t'assure.

Luna se baissa pour caresser le museau de son frère.

— Voyons, mon fripouillot, pourquoi t'es-tu mis de telles idées en tête ? Nous avions déjà parlé du fait qu'un jour tu trouverais une femelle pour fonder une famille. Je m'y attendais. Pas aussi tôt, c'est vrai, mais je savais que cela arriverait et j'étais prête.

— Merci, Luna, de ta compréhension.

Kendhal, qui n'avait compris qu'une partie du dialogue, mais deviné l'essentiel, se permit d'intervenir :

— Luna et moi, nous nous rendions à Hysparion. Vous aimeriez nous accompagner ?

Elbion pencha la tête, soudain méfiant.

— J'espère que vous ne comptiez pas voir le général !

— Bromyr ? Pourquoi cela ? s'enquit Luna, intriguée.

— Parce qu'il y a environ cinq minutes je l'ai vu filer en direction de Verciel. Il semblait extrêmement pressé. Il avançait tellement vite qu'au début, je ne l'ai même pas reconnu. C'est son odeur qui l'a trahi.

— Vite, Kendhal, il n'y a pas une minute à perdre, viens ! s'écria Luna en attrapant la main de son ami pour l'entraîner vers le sud.

— Hé, mais que se passe-t-il ? protesta Kendhal tout en courant pour suivre l'elfe de lune.

— Elbion et Scylla ont vu Bromyr courir vers la cité avarielle.

— Courir ? Mais c'est impossible, il est alité !

— Oui, justement. Moi, je trouve ça de plus en plus louche. Dépêchons-nous !

Les deux adolescents ne mirent pas longtemps à rejoindre Hysparion. Après avoir traversé la ville endormie, ils s'élancèrent sur le chemin escarpé qui menait à Verciel. Ils allaient tellement vite sur les rochers glissants que, sans la poigne ferme de Kendhal, Luna aurait plusieurs fois manqué de déraper.

La jeune fille sentait son cœur s'emballer. Ses poumons se consumaient dans sa poitrine en feu. Elle commençait à manquer de souffle, mais, plus elle avançait, plus son esprit s'échauffait.

« Bromyr qui court malgré sa blessure, ça ne tient pas debout. Qui court tellement vite qu'Elbion l'a à peine vu. Tellement vite ? Et s'il possédait le même don que Platzeck ? Cela expliquerait beaucoup de choses… Mais pourquoi se rendre à Verciel ? Surtout au beau milieu de la nuit. Avait-il rendez-vous ? Avec Thyl ? Avec Cyrielle ? Se pouvait-il qu'il s'agisse d'un rendez-vous galant ? »

Parmi ce flot d'interrogations qui l'assaillait, Luna n'était sûre que d'une seule chose : il fallait faire vite.

Lorsqu'ils parvinrent enfin au pied de la cité arboricole, Luna entraîna Kendhal sur l'une des plateformes qui s'éleva aussitôt. Cette fois, loin d'admirer le paysage, elle maudit en silence la lenteur de l'engin. Elle aurait voulu partager ses doutes avec Kendhal, mais elle était si angoissée qu'elle préférait garder le silence, serrant les dents pour ne pas céder à la panique qui l'envahissait.

Une fois là-haut, Luna s'élança vers la résidence impériale.

— Où va-t-on, maintenant ? demanda Kendhal en la suivant.

— Voir Thyl ou Cyrielle, je n'en sais rien.

Lorsqu'ils arrivèrent devant l'entrée de l'édifice, Luna salua les gardes en faction et leur demanda s'ils avaient vu le général Bromyr entrer. Leur réponse négative eut pour effet d'augmenter d'un cran ses craintes. Si la visite impromptue du général était amicale, il aurait dû se présenter aux sentinelles.

Mue par un pressentiment de plus en plus mauvais, l'elfe de lune se pressa vers la chambre de Cyrielle, la première du couloir. Devant la porte, elle stoppa net, le souffle coupé.

— Et maintenant, que fait-on ? murmura Kendhal qui semblait résolument plus serein que son amie.

— On entre et on jette un coup d'œil. Si tout est normal, on va voir Thyl.

— Mais qu'est-ce qu'on va lui dire ? Qu'Elbion a vu Bromyr venir par ici ? Et alors,

Luna ? On ignore tout des motivations de mon général. Il avait peut-être une excellente raison de se rendre à Verciel.

— Oui, eh bien, moi, je veux en avoir le cœur net ! souffla Luna en tournant doucement la poignée de la porte.

La scène dont ils furent témoins les figea sur le seuil, glacés d'épouvante.

Bromyr se tenait dos à eux. D'une poigne d'acier, il soulevait par le col la frêle avarielle tremblante de peur. De l'autre, il tenait une longue dague acérée.

— Réponds-moi, maudite femelle volante ! aboya-t-il. Tout de suite !

# 20

Dans un état de fureur extrême, le général pressa le plat de la lame contre le cou de Cyrielle, qui ne put retenir un gémissement sourd.

— Parle ! l'exhorta-t-il.

— Mais puisque je vous dis que je ne sais rien ! sanglota l'avarielle, effrayée. Je n'ai plus aucun souvenir de ce qui s'est passé cette nuit-là ! J'ignore l'identité du voleur.

Kendhal et Luna, qui assistaient médusés à la scène, sortirent de leur torpeur.

— Bromyr, hurla le jeune homme, lâche cette arme immédiatement !

Le général sursauta et fit volte-face, sans pour autant lâcher la pauvre Cyrielle dont les pieds s'agitèrent dans le vide. Malgré la fureur qui défigurait son visage, il était livide.

— Kendhal ? Luna ? fit-il d'une voix blanche. Que faites-vous là ?

— C'est à moi de te poser cette question. Lâche cette arme et repose Cyrielle tout de suite.

Luna crut que le général allait obéir à son roi, mais, au contraire, il se braqua et pointa férocement la dague vers le cœur de l'avarielle.

— Quittez cette chambre ! rugit-il. Vous n'avez pas à vous mêler de ça. C'est entre elle et moi. Je... j'ai la preuve que cette traîtresse a volé nos talismans et je veux qu'elle avoue !

— C'est faux ! hurla Cyrielle, le regard révulsé par la peur. Ce type est complètement fou.

Mais la lame appuyée contre son sein la fit brusquement taire.

Luna fixa l'arme intensément. La force de son esprit l'arracha brutalement des mains de Bromyr. La dague vola à l'autre bout de la pièce. La télékinésie s'avérait bien utile, à certains moments critiques.

Stupéfait, le général resserra son étreinte autour du cou de Cyrielle, qui se mit à suffoquer. Kendhal se jeta sur lui pour lui faire lâcher prise, mais Bromyr avait d'excellents réflexes. Son poing atteignit Kendhal au plexus solaire. Plié en deux, le jeune roi roula à terre. Luna jugea qu'il était temps d'intervenir.

Elle ferma les yeux, concentra sa force intérieure, la dosa pour ne pas tuer et libéra d'un coup son énergie vers le général qui fut violemment propulsé contre le mur. Le choc l'assomma sur le coup. Il atterrit lourdement sur le sol, inconscient.

Cyrielle retomba sur le lit. Elle respirait avec difficulté, ses mains serrées contre son cou meurtri. Luna se précipita vers elle, pendant que Kendhal se relevait péniblement en cherchant déjà du regard de quoi entraver le général.

— Merci, Luna, murmura Cyrielle, encore bouleversée. Sans ton intervention, ce malade m'aurait tuée.

— Je croyais que tu le trouvais charmant? fit l'adolescente en caressant les cheveux de son amie pour l'apaiser. Que voulait-il?

— Bromyr a fait irruption dans ma chambre comme un fou furieux. Il voulait savoir si je me souvenais de quelque chose à propos de mon agression. Comme je lui ai ordonné de quitter les lieux, il a sorti son arme et m'a menacée.

— Tu te souvenais de quelque chose?

— Rien de concret. Seulement d'une silhouette floue qui s'enfuit. J'ai beau me concentrer, ma mémoire refuse de m'en dire plus. Je l'ai dit à Bromyr, mais il ne me croyait pas. Je ne comprends pas pourquoi il était dans un tel état.

— Peut-être parce que c'est justement lui qui t'a attaquée et qu'il craint que le souvenir ne te revienne et révèle sa culpabilité. En te tuant, il supprimait le seul témoin gênant.

— Eh, n'extrapolons pas ! fit Kendhal qui finissait de ligoter le général à l'aide des cordons de rideaux qu'il avait dénoués. Laissons-lui au moins une chance de s'expliquer, comme nous avons fait avec Assyléa !

— Assyléa ? s'étonna Cyrielle. Que vient-elle faire dans cette histoire ?

— Oh, je t'expliquerai plus tard, soupira Luna. Bon, d'accord, Kendhal. Je veux bien que Bromyr ait la possibilité d'expliquer son geste, mais je veux qu'il soit immédiatement transporté à Laltharils et enfermé jusqu'à ce que les soupçons le concernant soient levés.

— Pourquoi pas à Hysparion ? rétorqua l'adolescent. Ce ne serait pas plus logique ?

Luna secoua vivement la tête.

— Je veux que Bromyr s'explique devant le Conseil de l'Union elfique. Même s'il n'a pas volé nos emblèmes, son agression à l'encontre de Cyrielle est impardonnable.

Le lendemain matin, après avoir dormi quelques heures seulement, Kendhal et Luna se rendirent chez Ambrethil pour lui expliquer toute l'histoire. En début d'après-midi, la reine des elfes de lune convoqua tous les membres du Conseil afin d'évoquer devant eux les événements tragiques qui avaient eu lieu la nuit précédente. Si tous furent consternés par la violence inexplicable du général, personne ne se risqua à tirer des conclusions hâtives. Seul Thyl accusa Bromyr de tentative de meurtre. Selon lui, qu'il soit coupable ou non du vol des talismans, il devait répondre de son acte criminel devant un tribunal avariel. Là-dessus, tout le monde tomba d'accord.

Le moment arriva de faire entrer le général. Des gardes tout en muscles amenèrent un Bromyr aux mains menottées et aux pieds entravés par de lourdes chaînes. Un collier anti-magie enserrait son cou de taureau. Il semblait impassible, mais ses joues écarlates témoignaient de sa fureur intérieure. Quant à ses yeux clairs, ils avaient l'éclat de la glace.

Ambrethil se leva pour l'accueillir et désigna un siège. Mais le général refusa de s'asseoir.

— Bien. Puisque nous sommes tous réunis, fit Ambrethil, impassible, je déclare cette séance extraordinaire du Conseil ouverte. Général Bromyr, Cyrielle nous a rapporté vos agissements de la nuit dernière. Kendhal et Luna, en tant que témoins, ont effectivement constaté que vous avez tenté d'assassiner la cousine de Thyl. Nous attendons vos explications.

— Je n'ai rien à vous dire ! répliqua le général, agressif.

— Pourtant, hier soir, vous accusiez Cyrielle d'avoir volé nos objets sacrés, intervint Luna. Votre séjour en captivité vous aurait-il remis les idées en place ?

— Tais-toi, ignorante ! gronda Bromyr en la foudroyant du regard. De toute façon, tu ne m'as jamais aimé. Ça t'arrange bien qu'on m'accuse aujourd'hui, hein !

— Parce que vous n'êtes pas coupable ? demanda Edryss à brûle-pourpoint.

Le général tourna la tête vers la prêtresse. Un rictus mauvais tordait sa bouche.

— Toi, la drow, ferme-la ! cracha-t-il avec tout le mépris possible. Si tu savais à quel point je vous exècre, toi et tous les tiens. Vous n'êtes que des abominations, des erreurs de la nature. Des monstres de cruauté, de sadisme, de perversité, qu'on devrait exterminer de façon méthodique et radicale. Vous méritez tous de crever comme des rats.

Comme aucun membre de l'assemblée ne bronchait, la colère du général monta d'un cran.

— Si tu savais à quel point je rêve de tous vous massacrer ! Les tortures de votre maudite

Lloth ne sont rien en comparaison de ce que je vous ferais subir. Vous ne méritez pas de vivre, encore moins à Laltharils qu'ailleurs. Vous êtes une infecte vermine qui souille la ville !

Il avait hurlé ces deniers mots, les yeux flamboyants de haine.

— Pourquoi une telle aversion ? ne put s'empêcher de demander Kendhal, blême de honte.

— C'est toi qui poses cette question ! éructa Bromyr. Toi qui as vu les tiens massacrés à deux reprises, toi qui as vu mourir ton père, toi qui as vu notre citadelle réduite en cendres à cause des drows ! Tu peux pardonner tout cela ? Moi, pas ! Ces images insoutenables des miens éventrés par les lames drows me hantent toutes les nuits. Ma femme que je chérissais plus que tout agonisant dans son sang, mes enfants qui faisaient ma fierté égorgés sous mes yeux, je ne peux pas supporter ces souvenirs qui se déroulent sans fin dans ma tête. À cause des drows, ma vie est devenue un cauchemar.

Tout le monde retenait son souffle, craignant de comprendre la triste vérité.

— Lorsque Aman'Thyr est tombée sous les attaques des dragons de Zélathory et que nous sommes partis en exil, je pensais sincèrement que Laltharils symboliserait un nouveau départ pour notre communauté. Je croyais que nous avions une chance de nous reconstruire, mais, lorsque j'ai découvert qu'Hérildur avait également offert son hospitalité à des drows, mon désespoir s'est mué en envie de meurtre et de vengeance.

— Je suis la première à condamner les horreurs commises par Zélathory, tenta d'expliquer Edryss avec douceur. C'est pour cette raison que nous avons tous choisi de quitter l'infâme Rhasgarrok.

Bromyr serra les dents et les poings.

— Foutaises ! Un drow reste un drow, où qu'il vive ! Combien de fois ai-je rêvé que je vous égorgeais, sale traîtresse, comme les vôtres ont égorgé mes enfants ! Combien de fois ai-je imaginé mon épée étripant vos ventres offerts ! Mais je suis trop lâche... ou trop civilisé, je l'ignore.

Le général baissa la voix.

— Ne pouvant me résoudre à passer à l'acte, j'ai imaginé un plan pour vous faire bannir de la forêt. Un plan subtil et mûrement réfléchi afin que tout le monde vous croie coupable des vols de talismans. Vêtu d'une cape magique et de gants de peau noirs pour donner l'illusion que j'étais un drow, j'ai d'abord attaqué le vieux Syrus pour m'emparer de votre morceau d'écorce, Ambrethil.

Cela fut un véritable jeu d'enfant. Plus tard dans la soirée, j'ai bousculé Platzeck pour lui subtiliser sa dague. Je savais qu'elle me servirait. Le lendemain, à la réunion du Conseil, j'ai laissé sous-entendre que la communauté drow abritait un traître et Thyl m'a immédiatement approuvé. Quelle aubaine !

À ces mots, l'empereur des elfes ailé s'empourpra, mais il choisit de ne rien dire pour ne pas mettre fin aux confidences du général.

— Je me suis proposé pour mener l'enquête et la crédule Cyrielle s'est mise en tête de m'aider pour me séduire. Je ne vous cache pas que cela faisait bien mon affaire.

L'avarielle, confuse, protesta vivement.

— Mais ce n'est pas vrai, jamais je…

Thyl lui donna un coup dans les côtes pour la faire taire.

— Inutile de nier, ma chère, poursuivit Bromyr. Je n'étais pas dupe de ton petit jeu. Mais il m'a été fort utile pour voler votre parchemin d'or. Je n'ai eu qu'à demander à le voir de plus près et toi, trop heureuse que je m'intéresse à tes croyances, tu me l'as apporté sur un plateau. Un sort d'amnésie m'a permis de brouiller les pistes.

Thyl ne put s'empêcher de foudroyer sa cousine du regard, mais il parvint à contenir sa colère.

— Je pensais que cela suffirait à établir la culpabilité des elfes noirs, mais je me trompais. Je n'ai pas hésité, alors, à sortir le grand jeu.

— En volant notre emblème sacré et en te blessant toi-même avec la dague de Platzeck ! compléta Kendhal, rouge de colère.

— Exactement ! approuva le général, fier de lui. Et personne ne s'est rendu compte de la supercherie. Même pas toi, puisque tu t'es lancé avec tes hommes à l'assaut d'Eilis. Je croyais que tu vaincrais cette vermine et parviendrais à la faire expulser de la forêt. Mais, là encore, je me trompais lourdement. Tu n'es qu'un minable, une chiffe molle, un pleutre, Kendhal ! Rien à voir avec ton père qui s'est sacrifié pour nous. Lui avait la trempe d'un héros. Toi, tu n'es qu'un zéro qui a raté une belle occasion de nous débarrasser des drows.

Kendhal, qui avait toujours cru au dévouement et à la sincérité de son général, devint livide. Il bouillait d'envie de lui sauter à la gorge pour lui faire ravaler ses insultes, mais son regard croisa celui de Luna et il se cramponna à la table pour dominer ses pulsions meurtrières.

— Lorsque j'ai vu revenir les soldats tout seuls, j'ai compris que les drows t'avaient monté la tête et qu'une fois de plus mes efforts avaient été réduits à néant. À cause de toi.

Mais il me restait pourtant une chance de faire accuser cette garce.

Bromyr montrait Edryss d'un geste du menton.

— En m'assassinant ? demanda Cyrielle, acerbe.

Le général la toisa avec dédain.

— Non, au début je n'y avais même pas pensé. En fait, c'est Thyl qui, en me rendant une petite visite amicale dans la soirée, m'a appris que tu commençais à te rappeler certaines choses. De peur que mon sort d'amnésie soit trop léger, je suis venu en personne vérifier ce que tu savais. Devant ton acharnement à te taire, j'ai décidé de te menacer. C'est à ce moment que j'ai eu un éclair de génie. Si je te tuais en laissant sur le lieu du crime un objet appartenant à cette chère Edryss, on comprendrait enfin que c'était elle la coupable.

L'assemblée était abasourdie devant la folie destructrice qui consumait le général. Comment en était-il arrivé à ce stade sans que personne ne remarque rien ?

— De quel objet s'agissait-il ? s'enquit Edryss, en plissant les yeux.

— N'aurais-tu point perdu une broche, ces jours derniers ? ricana Bromyr.

La prêtresse drow hocha imperceptiblement la tête, pâle comme la cendre.

— Et si ces deux maudits gosses n'étaient pas venus me déranger, à l'heure actuelle, c'est toi, saleté de drow, qui serais enchaînée à ma place, fulmina Bromyr. Et j'aurais exigé la peine de mort pour toutes tes fautes, ainsi que l'exil des tiens. Mais vous n'avez rien compris, tous autant que vous êtes ! Rien ! En volant les talismans, je voulais vous avertir qu'un jour ou l'autre les drows deviendraient une menace. Il faut nous en débarrasser avant qu'ils nous massacrent tous jusqu'au dernier. Ce que vous ne comprenez pas, c'est que les bons drows n'existent pas. La déesse araignée a perverti cette race maudite pour l'éternité et leur cœur abrite toujours un venin destructeur qu'ils cracheront tôt ou tard. Je vous aurai prévenus...

Excédé par la démence du général, Platzeck se leva brusquement et s'écria :

— Maintenant, ça suffit ! Bromyr, taisez-vous ! Vous êtes en train de vous ridiculiser. N'avez-vous donc aucune limite, aucune décence ? Plutôt que de nous insulter, dites-nous plutôt où vous avez caché les trois emblèmes que vous avez volés.

Mais l'autre, loin de se laisser intimider, éclata d'un rire nerveux.

— Parce que vous croyez vraiment qu'avec le respect que vous me témoignez je vais vous révéler mon dernier secret ? Vous plaisantez, ou quoi ?

Ce fut au tour d'Ambrethil de se lever, lentement, dignement.

— Général Bromyr, fit-elle d'une voix douce, mais ferme, vous nous avez révélé tous les détails de cette sombre affaire de votre plein gré. J'aimerais que vous continuiez sur la même voie et que vous nous indiquiez où se trouvent les talismans. Si vous refusez, nous serons contraints de faire appel au pouvoir de légilimancie de Luna. Est-ce cela que vous désirez ?

— Peuh ! Cette gamine a déjà voulu pénétrer mes pensées, je le sais, mais je maîtrise suffisamment l'occlumancie pour vous assurer que personne ne violera mon esprit. Personne !

— Je vais donc devoir utiliser mon talent, intervint Assyléa en se levant à son tour.

Pour la première fois, le général blêmit au point de devenir pâle comme la neige.

— Arrière, sorcière ! s'étrangla-t-il. Recule, sale drow de malheur !

Assyléa, imperturbable, continua à onduler jusqu'à lui. Sa voix se mua en un chant de miel et de soleil.

— Cher Bromyr, cela me ferait tellement plaisir que tu me révèles enfin où tu as caché les trésors que tu as volés.

— Non, non, non! je ne dirai rien, rien! suffoqua presque l'elfe en secouant la tête.

— Je te rappelle que ces objets sont sacrés, reprit la voix envoûtante d'Assyléa. Ne prive pas ton peuple du bouclier des anciens. Tu sais ce qu'il représente pour les elfes de soleil. Allons, sois raisonnable, Bromyr, sois raisonnable…

Les chaudes paroles aux accents irrésistibles finirent par avoir raison des dernières barrières mentales de Bromyr. L'homme craqua.

— Elles se trouvent dans… dans un coffre magique, dans une pièce secrète que j'ai aménagée sous la cave de la résidence royale, à Hysparion, bredouilla-t-il, incapable de retenir les mots qui sortaient de sa bouche contre sa volonté.

— Comment y accède-t-on? susurra Assyléa.

— Par une… par une trappe verrouillée sous… sous les réserves de nourriture.

On sentait qu'il luttait de toutes ses forces contre le pouvoir de persuasion d'Assyléa, mais elle était bien plus forte que lui.

— Où se trouve la clé qui ouvre cette trappe?

— Dans… dans… dans ma poche, chuchota-t-il en sanglotant de rage.

Plus rapide qu'un éclair, Platzeck se jeta sur lui et le dépouilla en un clin d'œil du précieux sésame.

— NOOOOOON ! hurla Bromyr plein de rage en se débattant comme un diable.

Mais les gardes qui veillaient sur lui le neutralisèrent aussitôt et s'empressèrent de lui faire quitter la salle, évitant à l'assemblée un spectacle affligeant.

Le silence revint, lourd et pénible. Platzeck, toujours debout, osa prendre la parole :

— Si vous m'y autorisez, j'aimerais aller moi-même chercher vos emblèmes sacrés. Ce serait un véritable honneur pour moi et tous les miens. Nous vous prouverions ainsi notre loyauté indéfectible et notre sincérité absolue.

— Nous n'en avons jamais douté, intervint Ambrethil avec gravité. Et, je pense pouvoir parler au nom de nos trois communautés en te chargeant de l'importante mission de rapporter nos talismans. Nous t'en serions extrêmement reconnaissants. Mais, avant… je tiens à remercier officiellement le roi Kendhal et la princesse Luna d'avoir démasqué Bromyr et évité que la douce Cyrielle ne connaisse une fin tragique. Au nom des elfes de lune, merci à vous deux.

D'un même élan, tous se levèrent et courbèrent la tête avec respect vers les deux adolescents, dont les joues roses trahissaient une fierté légitime. Edryss s'avança vers eux en souriant.

— En votre honneur, j'aimerais organiser un grand banquet de réconciliation. Il aurait lieu à Eilis et ce serait l'occasion pour tous les elfes de découvrir enfin notre cité qui revêt, j'en suis consciente, un caractère mystérieux et peut-être inquiétant. Nous aurions sans doute dû le faire depuis longtemps, mais, aujourd'hui, il n'est pas trop tard pour ouvrir enfin nos portes et nos cœurs et consolider ainsi notre alliance. Qu'en dites-vous ?

Le Conseil applaudit à l'unanimité cette initiative pleine de sagesse et d'espoir.

Lorsque la nuit tomba, Bromyr hurlait encore au fin fond de sa geôle. Le Conseil de l'Union elfique n'avait pas encore statué sur son sort, mais le général ne se faisait guère d'illusions. Le châtiment qu'il subirait serait à la hauteur de ses crimes. Mais loin de s'avouer coupable, il maudissait à chaque seconde les drows responsables de tous ses malheurs.

Grâce à la diligence de Platzeck, les trois souverains avaient récupéré leur talisman respectif et s'étaient empressés de le mettre en lieu sûr, bien décidés à ne plus l'exhiber à la vue du public. À nouveau en sécurité derrière des barrières magiques renforcées, les figurines sacrées pouvaient reposer en paix.

Sous la lune ronde et bienveillante, Kendhal et Luna ne dormaient pas encore. Assis sur la terrasse de la princesse, ils étaient en grande discussion avec Elbion et Scylla. Ils avaient beaucoup de choses à se raconter et du temps à rattraper.

Quant à Darkhan, il admirait sa jeune épouse qui venait de s'endormir. Dès le premier jour où il avait posé les yeux sur elle, son cœur s'était enflammé d'un amour absolu. Pourtant, cette nuit-là seulement, il réalisait qu'il l'aimait plus fort que jamais.

D'une main hésitante, il toucha le ventre d'Assyléa et il sentit sa gorge se nouer d'émotion. Et si sa femme avait raison, si elle était bien enceinte ! Un sentiment de fierté et de bonheur s'empara de lui. Il ferma les yeux et adressa une prière à Eilistraée pour qu'elle leur accorde cette faveur.

# ÉPILOGUE

Six mois avaient passé. Lorsque matrone Sylnor essayait de se souvenir de l'attaque du monastère, elle ne retrouvait plus dans sa mémoire qu'un vague sentiment de fureur sans bornes. Des images sanglantes de corps éventrés, de membres arrachés, dansaient encore devant ses yeux. Des cris de terreur et des hurlements de douleur résonnaient encore à ses oreilles. Mais elle n'aurait su dire combien de temps avait duré cette folie meurtrière. Si elle se souvenait parfaitement d'avoir eu recours à son troisième pouvoir pour se transformer en araignée géante, elle avait en revanche complètement oublié le moment où elle était redevenue une drow.

Quoi qu'il en soit, cette démonstration de force avait été des plus salutaires, puisqu'à présent nul n'aurait osé remettre en cause l'autorité suprême de la grande prêtresse. Tous ceux qui avaient assisté au massacre des rebelles avaient pu témoigner de la puissance incontestable de la nouvelle maîtresse de Rhasgarrok. La rumeur s'était propagée dans toute la ville, jusque dans les recoins sombres et oubliés.

Si le nom de matrone Sylnor faisait trembler les habitants de la cité souterraine, quelle que soit leur race, et si les grandes maisons avaient juré obéissance et fidélité à la matriarche, c'était surtout à Lloth qu'avait profité ce triomphe. Son culte avait en effet connu un fantastique regain d'activité. Le nombre de ses adeptes avait augmenté et personne par le passé ne l'avait priée avec autant de ferveur qu'aujourd'hui.

Dans sa tour, la déesse araignée exultait. Naak avait été définitivement écrasé. Le dieu scorpion avait perdu sa sphère et compris la leçon. Désormais, plus aucun dieu ne remettrait en question la suprématie de la puissante Lloth.

Matrone Sylnor avait passé ces six derniers mois à nettoyer la ville, n'hésitant pas à faire exécuter tous ceux qui montraient quelque réticence à accepter le pouvoir en place ou qui conservaient chez eux des idoles païennes. Elle avait par ailleurs fait raser les petits temples dédiés à quelques divinités mineures, de manière à ce que tout le monde ne vénère plus que la déesse araignée.

Consciente qu'elle devait surveiller chaque quartier de la ville avec une attention accrue, la jeune matriarche avait également organisé un recrutement massif. Son rêve était de recréer une grande et belle armée drow. En effet, après la mort des unités d'élite de matrone Zélathory et les massacres des patrouilles, il lui paraissait urgent de s'entourer à nouveau de gens fiables et prêts à donner leur vie pour elle. Matrone Sylnor avait été agréablement surprise de constater qu'on se pressait pour faire partie des heureux élus. Nombreux étaient ceux qui voulaient intégrer l'armée de Lloth.

Si la grande prêtresse avait systématiquement écarté les trolls, gobelins, nains et autres races, elle avait eu l'intelligence d'accepter tous les drows sans distinction de sexe. Écarter la gent masculine aurait été une grossière erreur. C'était cela qui avait induit les hommes à comploter, à se chercher un dieu de substitution et à se rebeller contre l'autorité féminine. On avait vu où cela avait mené la cité.

L'adolescente avait retenu la leçon ; elle savait qu'intégrer les hommes à son armée était la meilleure façon de les dominer. Matrone Zélathory avait timidement commencé à le faire. Matrone Sylnor le faisait plus massivement. La mixité ne pouvait être qu'une force supplémentaire et la nouvelle matriarche l'avait bien compris.

D'un autre côté, matrone Sylnor avait entrepris de réorganiser le fonctionnement du monastère. Tout d'abord, dans le but de réunifier le clergé de Lloth, elle avait renoncé à sacrifier les deux équipes qui avaient failli dans leur quête. Elle avait même nommé Thémys intendante, étant donné que, malgré ses vaines tentatives pour dénicher un bon nécromancien, elle n'avait pas démérité. Avec l'aide d'Ylaïs, elle avait remis prêtresses, clercs et novices au pas. Toutes formaient à présent un groupe uni et cohérent. Les rôles avaient été clairement définis et chacun savait où se trouvait sa place. La matriarche avait ensuite établi une série de nouvelles mesures et de changements qui avaient bouleversé l'ordre ancestral. Le plus radical avait été d'ouvrir les portes du monastère à une poignée de jeunes hommes. Rigoureusement sélectionnés pour leurs aptitudes psychiques, ils suivraient une formation intensive pour créer une armée personnelle d'invocateurs extrêmement doués. Les maisons nobles avaient considéré comme un immense honneur d'y envoyer leurs fils les plus prometteurs pour les soumettre aux tests de matrone Sylnor. L'épreuve éliminatoire avait consisté en une fouille mentale effectuée dans les règles de l'art. Les candidats qui ne montraient pas une fidélité absolue avaient aussitôt été redirigés vers Ylaïs, qui leur avait fait subir un lavage de cerveau radical. Finalement, tous les prétendants avaient été pris, pour la plus grande fierté des nobles familles de Rhasgarrok, qui avaient par conséquent renouvelé leur soutien inconditionnel à leur nouvelle matriarche.

En six mois seulement, matrone Sylnor était parvenue à réunifier son clergé, le peuple drow, hommes et femmes, ainsi que les grandes maisons. Crainte et respectée, elle régnait sans partage sur Rhasgarrok. Le vieil adage de la main de fer dans un gant de velours prenait toute sa signification ; derrière la délicatesse de l'adolescente se cachait la puissance redoutable de Lloth.

Malgré tout, matrone Sylnor restait insatisfaite. Les images de Luna et d'Ambrethil revenaient la narguer régulièrement. Elle était parvenue à les chasser de son esprit tant qu'elle s'occupait à régenter sa cité, mais maintenant que les choses étaient bien en place ses cauchemars avaient tendance à revenir hanter ses nuits.

Un matin où justement elle avait très mal dormi, elle fut prise d'une envie irrésistible de descendre à la salle des tortures se défouler sur le premier prisonnier venu. Cela faisait une éternité qu'elle ne s'était pas adonnée à son passe-temps favori, faute de temps ou de motivation. Mais là elle sentait que seule la vue du sang frais viendrait à bout de sa tension nerveuse. Elle enfila une tenue rouge moulante et noua ses cheveux en une tresse haute. Le reflet que lui renvoya son miroir lui arracha un sourire de satisfaction. Elle avait beaucoup grandi ces derniers temps. Sa silhouette, fine et allongée, lui convenait.

Matrone Sylnor s'apprêtait à quitter ses appartements lorsqu'on frappa à la porte. Thémys, l'intendante du monastère, passa sa tête à l'intérieur de la pièce et s'immobilisa, étonnée de voir la matriarche prête à sortir.

— Que veux-tu, Thémys ? Je te préviens que je suis d'une humeur exécrable. Fais vite.

— Vous avez un visiteur, maîtresse. Quelqu'un que vous m'avez envoyé chercher il y a longtemps sans le connaître. Quelqu'un qui apparemment vous connaît très bien.

Matrone Sylnor ouvrit de grands yeux.

— Que signifient tous ces mystères ? Ne peux-tu être plus précise ?

— Le drow n'a pas dit son nom, mais il s'est présenté comme le nécromancien le plus puissant des terres du Nord. Il a accepté de se plier à une fouille mentale d'Ylaïs et votre première prêtresse m'a assuré de ses bonnes intentions à votre égard.

Les envies de violence qui avaient assailli l'esprit de matrone Sylnor quelques minutes auparavant s'évanouirent aussitôt.

Le nécromancien le plus puissant des terres du Nord… Voilà qui semblait autrement plus intéressant que le charcutage d'un misérable hère. En outre, cela lui permettrait peut-être d'assouvir sa vengeance personnelle.

— Tu dis que cet homme prétend me connaître ?

— Apparemment. D'après Ylaïs, il semblerait que vous soyez de la même famille.

Matrone Sylnor sursauta, vaguement inquiète tout à coup. Une chose était certaine, cet homme, quelle que soit son identité, avait réussi à attiser sa curiosité. Elle décida d'aller le voir sur le champ.

Accompagnée de quatre de ses invocateurs, elle pénétra dans le salon où patientait le nécromancien. Elle s'attendait à rencontrer un homme dans la force de l'âge, intimidant par sa carrure et son savoir. Elle découvrit au contraire un vieillard squelettique aux traits émaciés.

La matriarche ne cacha pas sa déception et soupira de dépit. Comment ce pauvre bougre pouvait-il avoir la prétention de se présenter comme le plus grand nécromancien des terres du Nord ?

— Alors, papi, commença-t-elle, ironique, tu souhaitais me rencontrer ?

Le vieux drow leva son visage ridé vers la jeune femme. Ses yeux brillaient tels deux rubis, pleins de malice et d'intelligence. Peu empressé de répondre à la question qui lui était adressée, il détailla avec attention le visage de matrone Sylnor et reluqua son corps parfait.

— Eh bien, j'attends ! gronda-t-elle.

— Tu es devenue une très belle jeune fille, constata l'autre avec un sourire édenté.

Elle se raidit, soudain mal à l'aise. De quel droit se permettait-il de la tutoyer ? L'avait-il déjà vue ? Apparemment il était de sa famille, mais pour sa part elle était certaine de ne l'avoir jamais rencontré.

— Qui es-tu ? demanda-t-elle en plissant les yeux.

— Ton passé et ton avenir.

— Je déteste les énigmes, vieil homme, et suis prompte à me mettre en colère ! Dépêche-toi d'être plus explicite ou je te fais décapiter.

Le vieillard tourna un œil dédaigneux vers les quatre sorciers qui entouraient la jeune drow.

— Ce que j'ai à te dire ne concerne que toi, Sylnor.

— J'ai confiance en eux ! rétorqua la matriarche de plus en plus agacée par l'irrespect dont faisait preuve ce vieux débris. Parle !

— Comme tu voudras... Avant tout, je tenais à te souhaiter un joyeux anniversaire.

Matrone Sylnor sentit son cœur s'accélérer. Elle était la seule à connaître le jour précis de sa naissance. Au monastère, on ne soulignait jamais les anniversaires. Pourtant, elle venait effectivement d'avoir un an de plus.

— Comment connais-tu ce détail ?

— Tu ne croyais pas si bien dire en m'appelant papi, tout à l'heure. Mais quel grand-père serais-je si j'oubliais que ma petite-fille a treize ans aujourd'hui ?

Une décharge électrique tétanisa l'adolescente qui resta sans voix. Le vieillard, ravi de son effet, poursuivit sans attendre :

— Je m'appelle Askorias And'Thriel. Je suis le père de ton père, Elkantar, et je sais que tu as besoin de mon aide pour te venger. Je viens donc t'offrir mes services et ma vie, car nul autre grand-père au monde ne pourrait éprouver autant de fierté devant ce que tu es devenue. Tu as beau être une sang-mêlé, jamais aucune matrone n'avait porté la gloire de Lloth aussi haut.

Le souffle coupé, la jeune fille s'affala dans un fauteuil et congédia d'un geste ses gardes du corps. La conversation qu'elle allait avoir avec son aïeul serait certainement des plus instructives.

Après presque trois heures de discussion et de révélations passionnantes, matrone Sylnor fit installer le vieil Askorias dans un appartement très confortable, à côté du sien. Elle savait qu'à compter de ce jour, ils passeraient beaucoup de temps ensemble.

Le chemin qui menait au monde des ténèbres était long et difficile, mais, désormais, elle en possédait la clé et rien ne lui serait impossible.

## LISTE DES PERSONNAGES

**Abzagal** : Divinité majeure des avariels ; dieu dragon.
**Allanéa** : Avarielle ; amie de Thyl.
**Ambrethil** : Elfe de lune ; mère de Luna et de Sylnor et reine des elfes de lune.
**Askorias And'Thriel** : Drow ; père d'Elkantar And'Thriel, grand-père de Sylnor et de Luna.
**Assyléa** : Drow ; meilleure amie de Luna et épouse de Darkhan.

**Béryll Ro'Zven** : Drow ; matriarche d'une grande maison de Rhasgarrok, mère de Quaylen.
**Bromyr** : Elfe de soleil ; général de l'armée des elfes dorés.

**Caldwen** : Drow ; prêtresse de Lloth.
**Cyrielle Ab'Nahoui** : Avarielle ; cousine de Thyl et d'Haydel.

**Darkhan** : Mi-elfe de lune, mi-drow ; fils de Sarkor, cousin de Luna et époux d'Assyléa.

**Edryss** : Drow ; chef des bons drows réfugiés à Laltharils et prêtresse d'Eilistraée.

**Eilistraée** : Divinité du panthéon drow ; fille de Lloth. Solitaire et bienveillante, elle est la déesse de la beauté, de la musique et du chant. Associée à la Lune, elle symbolise l'harmonie entre les races.
**Elbion** : Loup ; frère de lait de Luna.
**Elkantar And'Thriel** : Drow ; noble sorcier, amant d'Ambrethil, père de Luna et de Sylnor. Décédé.
**Ewen** : Humain ; nomade, fils de Laïla et cousin de Sohan.

**Halfar** : Mi-elfe de lune, mi-drow ; fils de Sarkor et petit-fils d'Hérildur, cousin de Luna. Assassiné par son propre père.
**Haydel Ab'Nahoui** : Avarielle ; sœur cadette de l'empereur Thyl.
**Hérildur** : Elfe de lune ; ancien roi de Laltharils, père d'Ambrethil et grand-père de Luna. Assassiné par Halfar.
**Hysparion** : Elfe de soleil ; ancien roi d'Aman'Thyr et père de Kendhal. Décédé.

**Kendhal** : Elfe de soleil ; fils d'Hysparion et nouveau roi des elfes de soleil.
**Klarys (Dame)** : Drow ; ancienne intendante du monastère de Lloth.

**Lloth** : Divinité majeure des drows ; déesse araignée.
**Lucanor** (**Sire**) : Lycaride ; maître-loup et ami du Marécageux.
**Luna** (**Sylnodel**) : Mi-elfe de lune, mi-drow ; fille d'Ambrethil et d'Elkantar And'Thriel. Sœur de matrone Sylnor.
**Lytarell** : Elfe de lune ; domestique d'Ambrethil.

**Marécageux** (**Le**) : Elfe sylvestre ; ancien mentor de Luna.

**Naak** : Divinité du panthéon drow ; dieu scorpion de la guerre.

**Oloraé** : Drow ; sœur aînée d'Assyléa. Tuée par Luna.

**Platzeck** : Drow ; fils d'Edryss et membre du Conseil de l'Union elfique.

**Quaylen Ro'Zven** : Drow ; fils de dame Béryll et membre de la secte de Naak.

**Sarkor** : Drow ; père de Darkhan et d'Halfar, frère de matrone Zélathory. Tué par les gardes de matrone Zélathory.
**Scylla** : Louve ; compagne d'Elbion.

**Sohan** : Humain ; vampire nomade. Tué par sire Lucanor.
**Sylnodel** : Signifie Luna, « Perle de Lune » en elfique. Voir Luna.
**Sylnor (Matrone)** : Mi-elfe de lune, mi-drow ; fille cadette d'Ambrethil et d'Elkantar And'Thriel, sœur de Luna.
**Syrus** : Elfe de lune ; ancien professeur d'elfique de Luna.

**Thémys** : Drow ; prêtresse de Lloth.
**Thyl Ab'Nahoui** : Empereur de la colonie d'avariels réfugiée à Laltharils.

**Ycar (Sire)** : Lycanthrope ; ancien prince de la vallée d'Ylhoë. Tué par Luna.
**Ylaïs** : Drow ; prêtresse de Lloth.

**Zek** : Loup ; mâle dominant du clan de Shara et père d'Elbion. Tué par des urbams à la solde de matrone Zesstra.
**Zélathory Vo'Arden** : Drow ; ancienne grande prêtresse de Lloth. Assassinée par Sarkor.
**Zesstra Vo'Arden** : Drow ; ancienne grande prêtresse de Lloth. Assassinée par sa fille, Zélathory.

## GLOSSAIRE

**Avariels** : Voir elfes ailés.

**Dieux / déesses** : Immortels, les dieux vivent dans des sphères, sortes de bulles flottant dans le firmament éternellement bleu de leur monde. D'apparence humanoïde ou animale, les dieux influencent le destin des mortels en leur dictant leur conduite, en les aidant ou, au contraire, en les punissant. Plus le nombre de ses fidèles est grand, plus une divinité acquiert d'importance et de pouvoir parmi les autres dieux. Ceux dont le culte s'amenuise sont relégués au rang de divinités inférieures et finissent par disparaître complètement si plus aucun adepte ne les vénère.

**Dragons / dragonnes** : Créatures reptiliennes possédant un corps massif recouvert d'écailles brillantes, capables de voler grâce à des ailes membraneuses. Vivant en troupeau, les dragons peuvent hiberner pendant plusieurs siècles. À leur réveil, leur appétit insatiable les pousse à attaquer tous les genres de proies. La dernière grande communauté de dragons des terres du Nord vit cachée au cœur de la cordillère de Glace.

**Drows** : Voir elfes noirs.

**Elfes** : Les elfes sont légèrement plus petits et minces que les humains. On les reconnaît facilement à leurs oreilles pointues et à leur remarquable beauté. Doués d'une grande intelligence, ils possèdent tous des aptitudes naturelles pour la magie, ce qui ne les empêche pas de manier l'arc et l'épée avec une grande dextérité. Comme tous les êtres nyctalopes, ils sont également capables de voir dans le noir. Leur endurance et leurs capacités physiques sont indéniablement supérieures à celles des autres races. À cause des sanglantes guerres fratricides qui les opposèrent autrefois, les elfes vivent désormais en communautés assez fermées. On distingue les elfes de la surface des elfes noirs, exilés dans leur cité souterraine.
**Elfes ailés** (ou avariels) : Ils possèdent de grandes ailes aux plumes très douces, qui leur permettent d'évoluer dans les cieux avec une grâce et une rapidité incomparables. Depuis la destruction de Nydessim par les dragons, la petite communauté des elfes ailés vit sur la rive sud du lac de Laltharils, au cœur de la forêt de Ravenstein.
**Elfes de lune** (ou elfes argentés) : Ils ont la peau très claire, presque bleutée ; leurs

cheveux sont en général blanc argenté, blond très clair ou même bleus. Dans les terres du Nord, les elfes de lune vivent à Laltharils, magnifique cité bâtie au cœur de la forêt de Ravenstein.

**Elfes de soleil** (ou elfes dorés) : Ils ont une peau couleur bronze et des cheveux généralement blonds comme l'or ou plutôt cuivrés. On dit que ce sont les plus beaux et les plus fiers de tous les elfes. Après la destruction de leur forteresse d'Aman'Thyr par les guerrières drows de matrone Zélathory montées sur des dragons, les elfes de soleil se sont installés à Laltharils, sur la rive ouest du lac.

**Elfes noirs** (ou drows) : Ils ont la peau noire comme de l'obsidienne et les cheveux blanc argenté ou noirs. Leurs yeux parfois rouges en font des êtres particulièrement inquiétants. Souvent malfaisants, cruels et sadiques, ils sont assoiffés de pouvoir et sont sans cesse occupés à se méfier de leurs semblables et à ourdir des complots. En fait, les drows se considèrent comme les héritiers légitimes des terres du Nord et ne supportent pas leur injuste exil dans les profondeurs de Rhasgarrok. Ils haïssent les autres races, et ceux qu'ils ne combattent pas ne sont tolérés que par nécessité, pour le commerce et la signature d'alliances militaires temporaires.

Les drows vénèrent Lloth, la maléfique déesse araignée, et leur grande prêtresse dirige d'une main de fer cette société matriarcale.
**Elfes sylvestres** : Avec leur peau cuivrée et leurs yeux verts, ils sont les seuls elfes à vivre en totale harmonie avec la nature. Comme ils ont été les premières victimes des invasions drows, il n'en reste que très peu. La plupart vivent désormais à Laltharils, mais certains ont préféré l'exil et vivent en ermites, comme le Marécageux.

**Gobelins** : Humanoïdes petits et chétifs, les gobelins ont des membres grêles, une poitrine large, un cou épais et des oreilles en pointe. Leurs relations sont basées sur la loi du plus fort. L'unique communauté de gobelins des terres du Nord, autrefois connue sous le nom de Dernière Chance, puis de Castel Guizmo, a été détruite par les dragons montés par matrone Zélathory et ses guerrières drows. Ses habitants ont été exterminés.

**Humains** : À la suite de la destruction systématique des villages humains par l'armée de dragons de matrone Zélathory, il n'existe plus guère de représentants de cette espèce dans les terres du Nord. Il s'agit cependant de la race la plus répandue dans le reste du monde.

**Légilimancie** : faculté mentale qui permet de lire dans l'esprit des gens sans qu'ils soient consentants ou conscients de ce qui leur arrive. En général, un contact visuel est nécessaire aux legilimens pour percer les pensées des autres.
**Loups-garous** (ou lycanthropes) : Les loups-garous sont des humains qui se transforment en loups contre leur volonté à des moments inattendus. Cette métamorphose est souvent la conséquence d'une malédiction, qui fait d'eux des bêtes sanguinaires d'une force colossale. Ne pouvant alors réprimer leur instinct de prédateurs ni la faim qui les taraude, les lycanthropes dévorent sans pitié toutes les créatures qui se trouvent sur leur chemin. Lorsqu'ils reprennent leur apparence humaine, ils ne peuvent que constater les crimes atroces dont ils sont responsables ; ils en éprouvent du remords. Tout comme les vampires, ils ne peuvent mourir que par décapitation.
**Lycarides** : Les lycarides sont des êtres hybrides, mi-homme, mi-loup, capables de communiquer avec les loups. Contrairement aux loups-garous, les lycarides se transforment en loups selon leur propre volonté ; par ailleurs, jamais ils n'attaquent d'autres races pensantes pour s'en nourrir.

Les lycarides sont pacifiques, mais leur apparence (forte pilosité, mains disproportionnées et velues, ongles épais et légèrement rougeâtres) ainsi que leur propension à attirer les loups les ont souvent poussés à vivre en marge de la société. Ils sont également appelés maîtres-loups.

**Mages** : Ce sont de très puissants magiciens. Les mages elfes de soleil et elfes de lune sont d'une grande sagesse et d'une érudition remarquable. Les mages noirs sont des drows, tout aussi sanguinaires que les autres représentants de leur communauté. En réunissant leurs forces magiques, les mages peuvent accomplir des exploits surprenants.
**Maison** : Nom donné aux grandes familles drows de Rhasgarrok. Comme il s'agit d'une société matriarcale, c'est toujours la femme la plus ancienne ou la plus puissante qui se trouve à la tête de cette maison.

**Nains** : Petits et trapus, les nains vivent en communautés très soudées au cœur de citadelles fortifiées creusées dans les montagnes Rousses. En principe, ils évitent de côtoyer les autres races des terres du Nord avec lesquelles ils n'ont que peu d'affinités, surtout les elfes. Généralement bienveillants, ce sont des mineurs et des artisans sans pareils. Il existe toutefois des nains à l'âme rongée par la haine qui partent s'installer à Rhasgarrok, où ils subsistent en tenant de petits commerces.

**Occlumancie** : Faculté mentale qui permet de verrouiller ses pensées afin qu'elles ne puissent être lues par d'autres, notamment lors de conversations télépathiques.

**Trolls** : Les trolls sont des humanoïdes de grande taille, puissants, laids et particulièrement stupides. Ils vivent essentiellement dans des cavernes où ils amassent des trésors, tuent pour le plaisir et chassent toutes les proies qui leur semblent comestibles. Certains se sont réfugiés dans les faubourgs de Rhasgarrok, où ils cohabitent plus ou moins bien avec les drows.

**Urbams** : Créatures monstrueuses, fruit d'expériences ratées de sorciers drows. Issus de croisements contre nature entre gobelins et elfes noirs, ces êtres difformes ont la peau noire recouverte de verrues et de pustules suintantes. Entièrement dévoués à leur maître ou maîtresse, ils servent en général d'esclaves, de gladiateurs ou de chair à canon. Ils sont tous d'une sauvagerie sans pareille et on les dit volontiers cannibales.

**Vampires**: Les vampires sont des êtres qui se nourrissent du sang d'autres races ou de celui des animaux pour survivre. Ils vivent en clans nomades et se déplacent en fonction de leur gibier. Doués de facultés extraordinaires, tant physiques (rapidité, force, odorat surdéveloppé) que mentales (télépathie, pouvoir de séduction), les vampires sont des chasseurs redoutables qui laissent rarement des chances à leurs proies. Les vampires sont immortels. Seule la décapitation suivie du démembrement peut en venir à bout définitivement.

# TABLE DES MATIÈRES

# Luna

LA CITÉ MAUDITE
TOME 1

# Luna

LA VENGEANCE DES ELFES NOIRS
TOME 2

# Luna

LE COMBAT DES DIEUX
TOME 3

# Luna

LA DERNIÈRE DRAGONNE
TOME 4

# Luna

LA FLEUR DE SANG
TOME 5

# Luna

LE MAÎTRE DES LOUPS
TOME 6

Ce livre a été imprimé sur du papier contenant 100 %
de fibres recyclées postconsommation, certifié Écolo-Logo
et Procédé sans chlore et fabriqué à partir d'énergie biogaz.